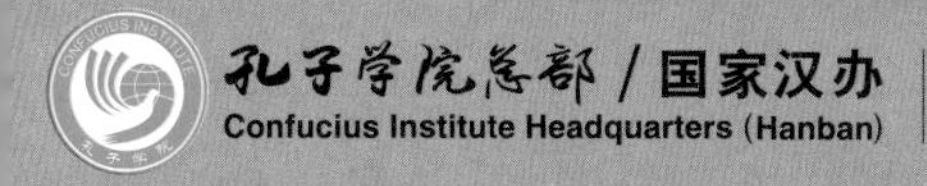

编制

BCT标准 2

主编：张　洁 / Lead Editor: Zhang Jie

BCT STANDARD COURSE

人民教育出版社
PEOPLE'S EDUCATION PRESS

图书在版编目（CIP）数据

BCT 标准教程．第 2 册 / 张洁主编．—北京：人民教育出版社，2015.10
ISBN 978-7-107-24429-2

Ⅰ．①B… Ⅱ．①张… Ⅲ．①商务—汉语—对外汉语教学—水平考试—教材 Ⅳ．①H195.4

中国版本图书馆CIP数据核字（2015）第249304号

人民教育出版社 出版发行
网址：http://www.pep.com.cn
北京盛通印刷股份有限公司印装　全国新华书店经销
2015年10月第1版　2017年1月第2次印刷
开本：787毫米×1 092毫米　1/16　印张：14　字数：280千字
定价：47.00元

如发现印、装质量问题，影响阅读，请与本社出版部联系调换。
（联系地址：北京市海淀区中关村南大街17号院1号楼　邮编：100081）
电话：010-58759215　电子邮箱：yzzlfk@pep.com.cn
Printed in the People's Republic of China

总 策 划： 许　琳　殷忠民　韦志榕

总 监 制： 胡志平　郑旺全

监　　制： 段　莉　李佩泽　张慧君
王世友　狄国伟

主　　编： 张　洁

编　　者： 李亚男　王淑红　王亚男
王之岭　袁　柯

责任编辑： 王陆正

审　　稿： 狄国伟　赵晓非
Nathan Blair Attrill [新西兰]
Miriam Ruth Fisher [美国]

美术编辑： 张　蓓

版式设计： 奇文云海・设计顾问

移动终端课程技术支持： 北京汉通鼎盛科技有限公司

前言

商务汉语考试（BCT）重点考查汉语非第一语言考生在真实商务情境或一般工作情境中运用汉语进行交际的能力，并对其能够完成的语言任务进行评价。考试遵循“以用为本、听说导向、能力为重、定位职场”的原则，自2013年推出后，得到广大商务汉语教学者和学习者的关注与认可。为满足移动互联时代人们在“任何地方”于“任何时间”学习的需求，我们结合商务汉语学习者的学习特点和多年的商务汉语教学经验以及语言测试研究心得，以《商务汉语能力标准》为纲，研发了这套商务汉语系列教材——《BCT标准教程》，希望能在语言教学中真正实现“考教结合”“以考促教”“以考促学”。

一、编写理念

教程主要面向工作生活节奏快、完整时间少、零散时间多、难以进入正式课堂学习但有强烈工作和职业需求的商务汉语学习者，以及所有希望学习汉语、了解中国的国际朋友。

1. 以学习者为中心，强调“听说领先，读写跟进”的理念。

教程的主要目的是提高学习者的商务汉语听说交际能力，并在提高听说交际能力的同时，逐步提高读写能力。

2. 融入交际法、主题式教学法和任务型教学的核心理念。

在编写时，强调语言表达的得体性和语境的作用，强调语言的真实性及在任务完成的过程中学习语言，强调内容的丰富性和多样性，以促使学习者在不同情境下运用语言完成一系列任务，提高汉语交际能力。

3. 贯彻形成性评价与终结性评价相结合的理念。

本系列教程为学习者提供了贯穿始终的形成性评价，并在课程结束时提供了终结性评价，更好地推动了“考教结合”“以考促教”“以考促学”。

二、教材特色

1. 以《商务汉语能力标准》为纲，循序渐进。

在遵循汉语国际教育理念的基础上，教程既考虑了课堂教学的需要，又符合学习者自学的需求。海内外教学机构、学习者可以根据自身的实际情况以及学时来调整每册书完成的时间。

《商务汉语能力标准》共分为五个等级。教程在充分解读标准的基础上，以《BCT（A）词汇表》和《BCT（B）词汇表》的词汇要求为前提，系统设计了各等级的范围。

教材分册	教学目标	词汇量（词）
教程 1	商务汉语能力标准一级	200
教程 2	商务汉语能力标准二级	400
教程 3	商务汉语能力标准三级	600
教程 4	商务汉语能力标准四级	1500
教程 5	商务汉语能力标准五级	3000

2. 学习形式碎片化、内容系统化。

商务汉语的学习者更多地是在工作、生活的间隙完成学习的。在内容安排上，每一课中的每一模块内容的学习时间不超过5分钟，既保证了学习内容的碎片化，又保证了学习内容的系统化，还充分考虑了循序渐进的难度要求。

3. 配有相应的课程测试。

学习者可以参加相应的课程考试。完成课程学习并通过商务汉语课程考试者，可获得由国家汉办颁发的商务汉语课程学习证明。一般来说，按要求学完本教程第一、二、三级，可通过BCT（A）考试，学完本教程第四、五级，可通过BCT（B）考试。

4. 同步推出移动终端数字学习版本。

学习者可通过手机等移动终端自行下载，同步进行学习和评估，完成对学习的管理与跟踪。目前已实现智能语音打分和游戏化语言闯关等项功能。

最后，编写组特别感谢孔子学院总部/国家汉办、汉考国际（CTI）和人民教育出版社的大力支持与参与，感谢国家汉办考试处、汉考国际全体研发人员和人民教育出版社有关领导与编辑人员所付出的辛劳和智慧。欢迎使用本教程的师生及时反馈意见和建议，以便我们再版时进一步完善。让我们为研发真正有用好用的商务汉语学习资源而共同努力！

编写组

2015年1月

Preface

Business Chinese Test (BCT) is designed to assess the Chinese communication competence of non-native speakers in business situations and the language tasks they can accomplish doing business. BCT follows user-oriented, listening and speaking oriented, capability-oriented and occupation-oriented principles. Since BCT launched in 2013 it has obtained more and more attention and recognition from teachers and learners of business Chinese. In order to fulfill the learning needs in the mobile internet era when everyone can receive many different kinds of education anytime and anywhere, this series of business Chinese course books *BCT standard Course* has been developed. Based on *Business Chinese Proficiency Standards*, with rich teaching experience, full considerations of learners, and testing and teaching research experience, these books are expected to combine teaching and promote learning by different types testing.

I Concept of the compilation

The target readers of this series are learners who have a busy schedule may find it difficult to receive formal education in the classroom, but who still have strong learning needs for career development, and international friends who hope to learn Chinese and explore China.

1. Stressing a student-centered concept, and putting listening and speaking first, with reading and writing to follow.

This series of books are originally designed to improve the learner's business Chinese listening and speaking skills and at the same time gradually improve their reading and writing ability.

2. Integrating the essential ideas of a communicative approach, theme-based teaching and task-based language teaching.

The compilation stresses appropriateness and authenticity of the language, richness and diversity of the content, and emphasizes the functions of the language context through tasks in order to simulate learners to use the language to accomplish the tasks and improve their communicative abilities.

3. Implementing the idea of combination of formative assessments and summative assessments.

This series of books provide formative assessment through the learning process and summative assessment at the end of each course which is aimed at promoting the combination of teaching and promote learning by testing.

II Features of this series

1. The books are based on *Business Chinese Competency Standards* and written for different levels.

Following the international Chinese education concept, this series of books are not only fit for teaching but also useful for self-learning. Teaching institutions at home and abroad as well as self-learners can adjust their learning time accordingly.

Business Chinese Competency Standards includes 5 levels. Based on BCT (A) Vocabulary Outline and BCT (B) Vocabulary Outline, the teaching objectives and vocabulary of this series of books are designed as follow:

Textbook Volume	Teaching Objectives	Vocabulary
Book 1	*Business Chinese Proficiency Standards* Level 1	200
Book 2	*Business Chinese Proficiency Standards* Level 2	400
Book 3	*Business Chinese Proficiency Standards* Level 3	600
Book 4	*Business Chinese Proficiency Standards* Level 4	1500
Book 5	*Business Chinese Proficiency Standards* Level 5	3000

2. The learning content is systematic and fragmented.

Learners of business Chinese usually study in a fragmented time. As to the content arrangement, learning time for every unit is less than 5 minutes, which guarantees fragmented and systematic learning to reach the requirement of gradual improvement.

3. Every volume is matched with a corresponding test.

Learners can take the course tests according to this series. The learners who finish the course and pass the tests can get a study certificate of Business Chinese Course awarded by Hanban. In general learners who study the book 1, 2 and 3 can pass BCT (A) and learners who study the book 4 and 5 can pass the new BCT (B).

4. The digital version of the textbooks is also offered.

Learners can download the App by mobile phone or other mobile device. It can be used as the tool for learning and assessment and it can also manage and track the learning process. At present, intelligent, real-time scoring algorithms and game-like challenges, intelligent voice assessing, and language games have been uploaded.

At the end of this preface, the editorial committee would like to acknowledge the Confucius Institute Headquarters (Hanban), the Chinese Test International (CTI) and the People's Education Press for their strong support. In the meantime, thanks to the hard work and wisdom of all the participants including the leaders, the editors, the developers of the Hanban, the CTI and the press. We are eager to receive feedback from teachers and learners, in order to further perfect and make this series of books a useful business Chinese learning resource.

Editorial team

January, 2015

本册说明

《BCT 标准教程》（第2册）适合已达到商务汉语能力标准一级或初级汉语水平的商务人士及汉语学习者学习使用。

本册教程的编写遵循《商务汉语能力标准》及《BCT（A）大纲》，从中选定20个商务交际活动主题及相关词汇作为教学目标。全书共20课。每课围绕一个商务交际活动主题设计，包括对话、短文、词语和练习四个部分。建议每课2~3个课时。

一、对话

每课在一个商务交际活动主题下，展开五个不同情境中的对话，每段对话控制在1~4个话轮。每段对话多设置2~4个生词，对话内容的编写力求贴近真实商务交际语境，反复操练重点句型和生词，且生词在不同情境下进行复现。这样，既能帮助学习者熟悉汉语在真实商务交际中的使用情况，又能引导学习者适应情境转换，培养汉语商务交际能力。

二、短文

每课在对话后设置了一篇小短文，短文以商务情景中的讲话为主，对本课重点句型和生词进行复现，有助于学习者把握本课教学目标和重点，进一步强调生词和语言点。

三、词语

每课选择了与本课的商务交际活动主题密切相关的重点词汇，紧扣主题创设词汇学习的情景，将词语应用于商务交际活动中的对话，从而把词语运用和商务口语交际结合在一起，以利于读者内化所学词语。同时，每课的词语以英文进行注释，简洁明了。

四、练习

教程弱化语法，学习者可以通过练习来加以掌握。练习的内容为本课新学的语言点和重点词语及句型，目的是对本课所学内容及时强化。练习形式主要有替换练习、完成对话、完成语言交际任务、调查、谈论观点等，以口语练习为主，旨在鼓励学习者多说多练，将本课所学真正运用到商务活动交际中。

本册教程后附《BCT 标准教程》测试（二级）试卷及相应的听力材料和参考答案。

General Introduction

BCT Standard Course 2 is a set of teaching materials for business professionals who have attained Business Chinese Proficiency Standard Level I, or the Elementary Level of Chinese as a Foreign Language.

Based on *Business Chinese Proficiency Standards* and the BCT (A) Vocabulary Outline, twenty themes of business activities and related words are selected as the teaching goal. This book has twenty lessons and each lesson develops a business theme and includes dialogues (with new words), articles, vocabulary notes and exercises. It is recommended that each lesson be completed in two or three classes.

I Dialogues

Each lesson has five dialogues which are limited to 1~4 turn-talking with different and authentic business scenarios on a certain communication theme with 2~4 new words in each dialogue. The key sentences and words were repeated and the new words are displayed in different contexts over and over. In this way, not only does it help the learners be familiar with the way to use business Chinese, but also guide the learners to adapt to different situations and to improve the ability of their abilities.

II Passages

Each lesson has a passage about business speeches following five rounds of dialogues. The passages intensify the key sentence structures and words to help the learners master new words and language points.

III Words and phrases

Each lesson chooses the key words which are closely related to the business communication activities themes, concentrating on the theme to create vocabulary learning scenario, applying the words used in dialogue of business communication activities, so that combine word application with business oral communication together, in order to facilitate the reader to internalize what they have learned. Meanwhile, each of the words is noted by English clearly and concisely. The new words and phrases are annotated with clear and concise English explanations.

IV Exercises

This book elaborates the grammar points and learners can master the grammar through the subsequent exercises. The exercises are placed after the notes of the text to strengthen new knowledge the contents of which are the language points and important words and sentence structures of each lesson. The exercises are placed after the notes in the text to strengthen understanding of language points, important vocabulary, and sentence structures. The exercise forms are primarily substitution drills, language communication tasks, investigation, and discussion. In order to encourage the learners to speak and practice more and apply what they have learned in real business communication, this book gives priority to spoken exercises. Teachers can employ the exercises flexibly and focus on oral communication exercises.

The course test paper is attached to this textbook.

Content / 目录

nǐ hǎo ma
你好吗
[How are you?]

Dialogues / 对话

1

Nǐ hǎo ma?
你 好 吗？
[How are you?]

Wǒ hěn hǎo, nǐ ne?
我 很 好，你 呢？
[I am fine, and you?]

Wǒ yě hěn hǎo.
我 也 很 好。
[I am fine, too.]

2

Zǎoshang hǎo, Qián xiānsheng.
早上 好，钱 先生。
Nǐ jīntiān guò de zěnmeyàng?
你 今天 过 得 怎么样？
[Good morning, Mr Qian. How are you today?]

[part.]
得 | marker of complement

Wǒ hěn hǎo, nǐ ne?
我 很 好，你 呢？
[I'm fine, and you?]

Wǒ yǒudiǎnr lèi.
我 有点儿 累。
[I am a little tired.]

[adj.]
累 | tired; fatigued

Zěnme le?
怎么 了？
[How come?]

[pron.]
怎么 | inquiring for property, condition, way, and cause, etc.

Gōngzuò tài máng le.
工作 太 忙 了。
[I have been busy working.]

3

Hǎojiǔ bú jiàn!
好久 不 见！
[Long time no see.]

Shì a, hǎojiǔ bú jiàn, nǐ zěnmeyàng?
是 啊，好久 不 见，你 怎么样？
[Yeah, long time no see. How have you been?]

Wǒ hěn hǎo, nǐ ne?
我 很 好，你 呢？
[I've been well, and you?]

Wǒ yě hěn hǎo!
我 也 很 好！
[I've been well!]

4

Nǐ qù nǎr le?
你 去 哪儿 了？
[Where did you go recently?]

Wǒ qù Měiguó le.
我 去 美国 了。
[I went to America.]

Měiguó zěnmeyàng?
美国 怎么样？
[What did you think of the United States?]

Měiguó hěn rè.
美国 很 热。
[The United States was really hot.]

5

Nǐ máng ma?
你 忙 吗？
[Have you been busy recently?]

Bú tài máng. Nǐ zěnmeyàng?
不 太 忙。你 怎么样？
[Not too busy. How have you been recently?]

[adv.] 挺 | very; quite; pretty; rather

Wǒ tǐng máng de, wǒ zhǎole yí gè xīn gōngzuò.
我 挺 忙 的，我 找了 一 个 新 工作。
[I have been quite busy. I got a new job.]

[adj.] 新 | new

Qù nǎ jiā gōngsī le?
去 哪 家 公司 了？
[Where do you work?]

[mw.] 家 | *used for families, restaurants, hotels or companies*

CTI Gōngsī.
CTI 公司。
[At the CTI company.]

Nǐ xǐhuan zhège gōngzuò ma?
你 喜欢 这个 工作 吗？
[Do you like this job?]

Wǒ tǐng xǐhuan zhège gōngzuò de.
我 挺 喜欢 这个 工作 的。
[I really like this job.]

[v.]
喜欢 | like or be interested in (sb. or sth.)

Passage / 短文

Wǒ zhǎole yí gè xīn gōngzuò,
我 找了 一 个 新 工作，
xiànzài wǒ zài CTI Gōngsī gōngzuò.
现在 我 在 CTI 公司 工作。
Suīrán gōngzuò yǒudiǎnr máng, wǒ yě
虽然 工作 有点儿 忙，我 也
yǒudiǎnr lèi, dànshì wǒ hěn xǐhuan zhège
有点儿 累，但是 我 很 喜欢 这个
gōngzuò.
工作。

[conj.]
虽然……但是…… | although; but; however

I've got a new job. I work in CTI. Although work has been busy and I have been quite tired, I really like it.

Words and phrases / 词语

de
得 / [part.] marker of complement

lèi
累 / [adj.] tired; fatigued

zěnme
怎么 / [pron.] inquiring for property, condition, way, and cause, etc.

tǐng
挺 / [adv.] very; quite; pretty; rather

xīn
新 / [adj.] new

jiā
家 / [mw.] *used for families, restaurants, hotels or companies*

xǐhuan
喜欢 / [v.] like or be interested in (sb. or sth.)

suīrán… dànshì…
虽然……但是…… / [conj.] although; but; however

Exercises / 练习

1/ Substitution drills.

Wǒ jīntiān guò de hěn hǎo.
a / 我 今天 过 得 很 好 。

我	过	好
tā 他	zǒu 走	wǎn 晚
Wáng xiānsheng 王 先生	lái 来	zǎo 早
Lǐ xiǎojiě 李 小姐	xiūxi 休息	hǎo 好

b / Manager Wang meets Secretary Li at the gate of the company. As they haven' t met for a long time, Manager Li asks her how she has been recently.

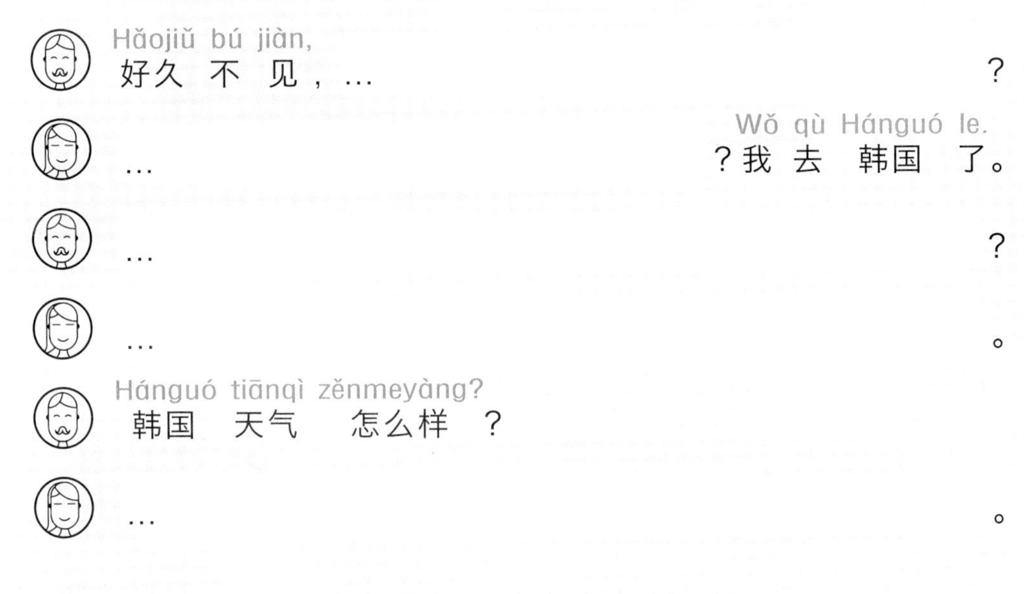

3/ Where have you been recently? Try to use the words and sentence patterns you have learned.

…

4/ How have you been recently? Try to use the words and sentence patterns you have learned.

…

2 wǒ de tóngshì 我的同事

[My colleague]

Dialogues / 对话

1

Nà wèi nǚshì shì shéi?
那位女士是谁？
[Who is that woman?]

Nǎ wèi?
哪位？
[Which one?]

Zhànzhe de nà wèi.
站着的那位。
[The one standing over there.]

> 站 [v.] | stand
> 着 [part.] | *used after a verb, indicating that the action starts and continues*

Nà wèi shì Lǐ xiǎojiě, wǒ de tóngshì.
那位是李小姐，我的同事。
[That is Miss Li, my colleague.]

> 同事 [n.] | colleague

2

Nǎ wèi shì Zhāng Xiǎomíng?
哪位是张小明？
[Which one of them is Zhang Xiaoming?]

Zhànzhe de nà wèi.
站着的那位。
[The one standing over there.]

Shì chuānzhe hēisè kùzi de nà wèi ma?
是穿着黑色裤子的那位吗？
[The one wearing black trousers?]

> 黑色 [adj.] | black; dark
> 裤子 [n.] | trousers; pants

Bú shì, shì dǎzhe hóngsè lǐngdài de nà wèi.
不是，是打着红色领带的那位。
[No, the one wearing a red tie.]

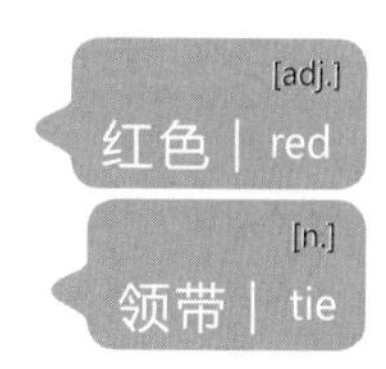

> 红色 [adj.] | red
> 领带 [n.] | tie

Wǒ zhīdào le.
我知道了。
[I see.]

3

Lǐ Hǎo, gāngcái yǒu rén lái zhǎo nǐ.
李 好， 刚才 有 人 来 找 你。
[Li Hao, somebody was looking for you just now.]

[n.] 刚才 | a moment ago; just now

Shì nán de, háishi nǚ de?
是 男 的，还是 女 的？
[Was it a man, or a woman?]

[n.] 男 | man; male [conj.] 还是 | or [n.] 女 | woman; female

Shì gè nán de.
是 个 男 的。
[A man.]

Dài yǎnjìng le ma?
戴 眼镜 了 吗？
[Was he wearing glasses?]

Méi dài yǎnjìng.
没 戴 眼镜 。
[He was't wearing glasses.]

Kěnéng shì Wáng Tiān, wǒ gěi tā dǎ gè diànhuà.
可能 是 王 天，我 给 他 打 个 电话 。
[It could be Wang Tian. I will call him.]

[aux.] 可能 | may; can

4

Wáng jīnglǐ zuò de shì jǐ diǎn de fēijī?
王 经理 坐 的 是 几 点 的 飞机？
[What time was Manager Wang's flight?]

Sān diǎn de, yǐjīng dào le.
三 点 的，已经 到 了。
[Three o'clock. It has already arrived.]

[adv.] 已经 | already; yet

Tā dài yǎnjìng ma?
他 戴 眼镜 吗？
[Does he wear glasses?]

Dài.
戴 。
[Yes.]

Shì chuānzhe hēisè xīzhuāng de nà wèi ma?
是 穿着 黑色 西装 的 那 位 吗？
[Is he the one wearing a black suit?]

Hěn kěnéng shì.
很 可能 是。
[It is probably.]

[adj.] 可能 | possible; probable; likely

5

Míngtiān wǒmen yǒu wèi xīn tóngshì lái shàngbān.
明天我们有位新同事来上班。
[We will have a new colleague coming to work tomorrow.]

Shì ma, nán de háishi nǚ de?
是吗，男的还是女的？
[Really? A man, or a woman?]

Nǚ de, nǐ rènshi, zuótiān wǒmen yìqǐ hē kāfēi le.
女的，你认识，昨天我们一起喝咖啡了。
[A woman, you know her, we had coffee together yesterday.]

Shì cháng tóufa de nà wèi
是长头发的那位
háishi duǎn tóufa de nà wèi?
还是短头发的那位？
[Is her hair long or short?]

Shì cháng tóufa de nà wèi xiǎojiě, tā jiào Zhāng Huān.
是长头发的那位小姐，她叫张欢。
[The woman has long hair, and her name is Zhang Huan.]

Wǒ zhīdào le.
我知道了。
[I see.]

Passage / 短文 50%

Wǒ lái jièshào yíxià wǒ de yí wèi nán tóngshì, tā jiào Gāo Fēi. Tā de tóufa shì hēisè de, duǎnduǎn de. Tā dàizhe báisè de yǎnjìng. Tā xǐhuan chuān xīzhuāng, dǎ lǐngdài. Tā zuò zài wǒ de zuǒbian. wǒ hěn xǐhuan hé tā yìqǐ hē píjiǔ.

我来介绍一下我的一位男同事，他叫高飞。他的头发是黑色的，短短的。他戴着白色的眼镜。他喜欢穿西装，打领带。他坐在我的左边。我很喜欢和他一起喝啤酒。

Let me introduce one of my male colleagues, Gao Fei. His hair is black and short. He wears white glasses. He likes wearing a suit and tie. He sits to my left. I like drinking beer with him.

Words and phrases / 词语

75%

zhàn
站 / [v.] stand

tóngshì
同事 / [n.] colleague

kùzi
裤子 / [n.] trousers; pants

lǐngdài
领带 / [n.] tie

nán
男 / [n.] man; male

nǚ
女 / [n.] woman; female

yǎnjìng
眼镜 / [n.] glasses; spectacles

yǐjīng
已经 / [adv.] already; yet

zhe
着 / [part.] *used after a verb, indicating that the action starts and continues*

hēisè
黑色 / [adj.] black; dark

hóngsè
红色 / [adj.] red

gāngcái
刚才 / [n.] a moment ago; just now

háishi
还是 / [conj.] or

dài
戴 / [v.] wear; put on

kěnéng
可能 / [aux.] may; can
[adj.] possible; probable; likely

chuān
穿 / [v.] wear; put on

xīzhuāng 西装 / [n.] suit	cháng 长 / [adj.] long
tóufa 头发 / [n.] hair	duǎn 短 / [adj.] short
báisè 白色 / [adj.] white	yìqǐ 一起 / [adv.] together

Exercises / 练习

1/ Substitution drills.

a / Tā zhànzhe.
他 站 着 。

b / Tā chuān zhe xīzhuāng.
他 穿 着 西装 。

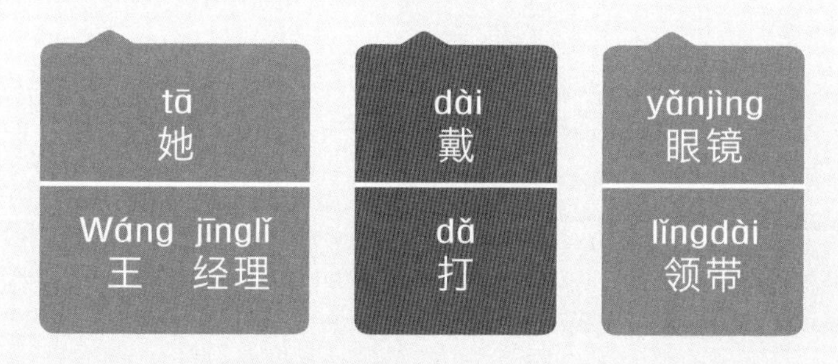

Tā de tóufa hēihēi de.

c / 他的头发黑黑的。

Tā de tóufa shì hēisè de.

d / 他的头发是黑色的。

Shì nán de háishi nǚ de?

e / 是男的还是女的？

liǎng diǎn 两 点	sān diǎn 三 点
301 fángjiān 301 房间	302 fángjiān 302 房间
hē chá 喝 茶	hē kāfēi 喝 咖啡

2/ Complete the following dialogues using the words and sentence patterns you have learned.

shì ... háishi ... 是……还是……	shì ... de 是……的	zhe 着

a / Mr Li does not know Zhang Ying, so he asks Mr Wang who she is.

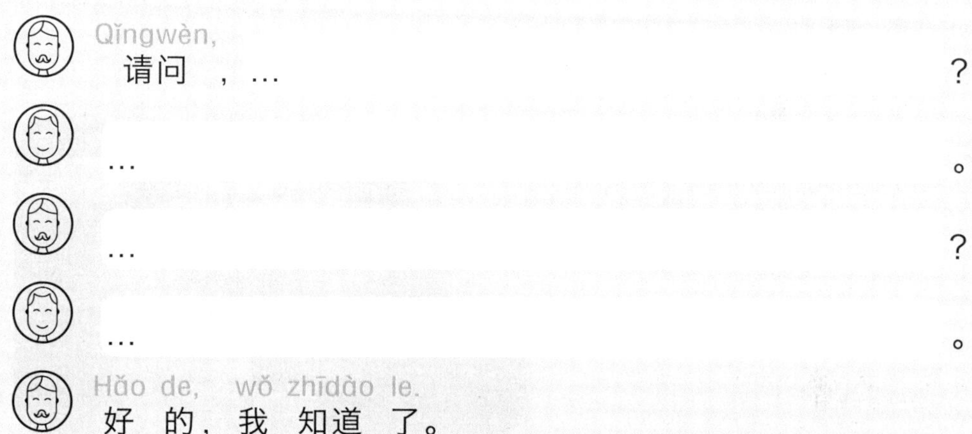

Qǐngwèn,
请问，… ?

… 。

… ?

… 。

Hǎo de, wǒ zhīdào le.
好的，我知道了。

b / A new colleague will join the company tomorrow. Wang Tian and Li Xiaoming both know this individual. Wang Tian makes Li Xiaoming guess who the person might be.

Míngtiān yǒu yí wèi xīn tóngshì lái shàngbān.
明天有一位新同事来上班。

… ?

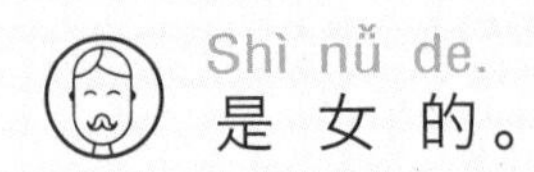

Shì nǚ de.
是 女 的。

… ?

Shì nǐ rènshi de.
是 你 认识 的。

… ?

Tā de tóufa bù cháng bù duǎn.
她 的 头发 不 长 不 短 。

… ?

Shì Lǐ Hǎo.
是 李 好 。

3/ Describe the people in this picture. Try to use the words and sentence patterns you have learned.

…

4/ Please introduce yourself. Try to use the words and sentence patterns you have learned.

...

5/ Please introduce one of your colleagues. Try to use the words and sentence patterns you have learned.

...

6/ Describe a person and let your partner guess who it is. Try to use the words and sentence patterns you have learned.

...

wǒ de àihào
我的爱好
[My hobbies]

Dialogues / 对话

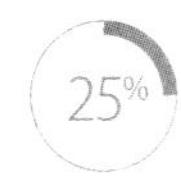

1

Nǐ àihào shénme?
你爱好什么？
[What are your hobbies?]

Wǒ de àihào shì chànggē, nǐ ne?
我的爱好是唱歌，你呢？
[One of my hobbies is singing, and how about you?]

Wǒ xǐhuan lǚyóu.
我喜欢旅游。
[I like traveling.]

爱好 | [v.] be fond of or keen on; have a taste for

爱好 | [n.] hobby; an interest

唱歌 | [v.] sing

旅游 | [v.] travel

2

Nǐ xǐhuan lǚyóu ma?
你喜欢旅游吗？
[Do you like traveling?]

Wǒ hěn xǐhuan lǚyóu.
我很喜欢旅游。
[I like traveling very much.]

Nǐ qùguo nǎr?
你去过哪儿？
[Where have you been?]

Wǒ qùguo Měiguó hé Rìběn.
我去过美国和日本。
[I have been to the United States and Japan.]

过 | [part.] *used after a verb, referring to sth. that happened previously*

3

Nǐ xǐhuan chànggē ma?
你 喜欢 唱歌 吗？
[Do you like singing?]

Wǒ bù xǐhuan chànggē.
我 不 喜欢 唱歌 。
[No,I don't like singing.]

Nǐ xǐhuan zuò shénme?
你 喜欢 做 什么 ？
[What do you like doing?]

[v.] 做 | do

Wǒ xǐhuan pǎobù.
我 喜欢 跑步 。
[I like running.]

[v.] 跑步 | run; jog

Wǒ yě hěn xǐhuan, wǒmen yìqǐ qù ba!
我 也 很 喜欢， 我们 一起 去 吧！
[I also like it very much. Let's go together!]

Tài hǎo le!
太 好 了！
[That's great!]

4

Nǐ xǐhuan pǎobù ma?
你 喜欢 跑步 吗？
[Do you like running?]

Wǒ hěn xǐhuan pǎobù.
我 很 喜欢 跑步 。
[I like running very much.]

Nǐ měi tiān dōu qù pǎobù ma?
你 每 天 都 去 跑步 吗？
[Do you run every day?]

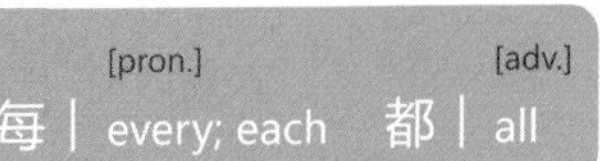

Měi tiāndōu qù.
每 天 都 去。
[Yes, I go every day.]

Nǐ měi tiān shénme shíhou qù pǎobù?
你 每 天 什么 时候 去 跑步 ？
[What time do you run every day?]

Wǒ měi tiān shàngbān qián hé xiàbān hòu dōu qù pǎobù.
我 每 天 上班 前 和 下班 后 都 去 跑步 。
[I run before and after work every day.]

5

Xiàbān hòu nǐ xǐhuan zuò shénme?
下班 后 你 喜欢 做 什么 ？
[What do you like to do after work?]

Wǒ xǐhuan hé péngyou yìqǐ chīfàn.
我 喜欢 和 朋友 一起 吃饭 。
[I like to have dinner with friends.]

Nǐ xǐhuan chī shénme cài?
你 喜欢 吃 什么 菜 ？
[What kinds of food do you like?]

Wǒ shénme cài dōu xǐhuan.
我 什么 菜 都 喜欢 。
[I like all kinds of food.]

Jīntiān wǒmen yìqǐ qù chīfàn ba.
今天 我们 一起 去 吃饭 吧。
[Let's have dinner together today.]

Hǎo de!
好 的！
[Great!]

Passage / 短文

50%

Xiàbān hòu nǐmen xǐhuan zuò shénme? Lǐ jīnglǐ xǐhuan qù chànggē, Gāo xiānsheng xǐhuan wǎnshang qù pǎobù, Lǐ xiǎojiě xǐhuan hé péngyou yìqǐ qù lǚyóu. Xīngqīwǔ wǎnshang wǒmen yìqǐ qù chànggē, xīngqīliù wǒmen yìqǐ qù pǎobù, xīngqītiān wǒmen yìqǐ qù lǚyóu.

下班 后 你们 喜欢 做 什么 ？李 经理 喜欢 去 唱歌 ，高 先生 喜欢 晚上 去 跑步，李 小姐 喜欢 和 朋友 一起 去 旅游。星期五 晚上 我们 一起 去 唱歌 ，星期六 我们 一起 去 跑步， 星期天 我们 一起 去 旅游。

What does everybody like to do outside work hours? Manager Li likes to sing at the KTV. Mr Gao likes running in the evening. Miss Li likes to go on trips with friends. We will go singing together on Friday night. On Saturday we will go running together, and we will go on a trip on Sunday.

Words and phrases / 词语

àihào 爱好 / [n.] hobby; an interest [v.] be fond of or keen on; have a taste for	chànggē 唱歌 / [v.] sing
lǚyóu 旅游 / [v.] travel	guo 过 / [part.] *used after a verb, referring to sth. that happened previously*
zuò 做 / [v.] do	pǎobù 跑步 / [v.] run; jog
měi 每 / [pron.] every; each	dōu 都 / [adv.] all

Exercises / 练习

1/ Substitution drills.

a/ měi tiān 每 天

wèi 位	gè 个	nián 年	xīngqī 星期

Nǐ měi tiān dōu pǎobù ma?

b / 你 每 天 都 跑步 吗？

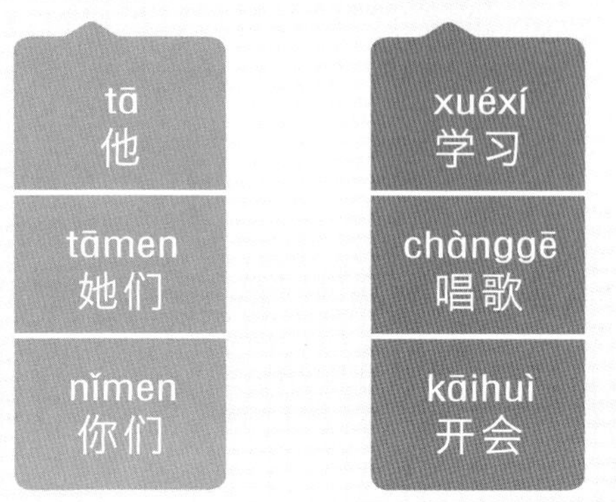

Wǒmen yìqǐ qù pǎobù ba!

c / 我们 一起 去 跑步 吧！

chànggē 唱歌	chīfàn 吃饭	lǚyóu 旅游

Wǒ qùguo Měiguó.

d / 我 去过 美国 。

2/ Complete the following dialogues using the words you have learned.

a / Manager Wang and Miss Li sit and talk about their own hobbies.

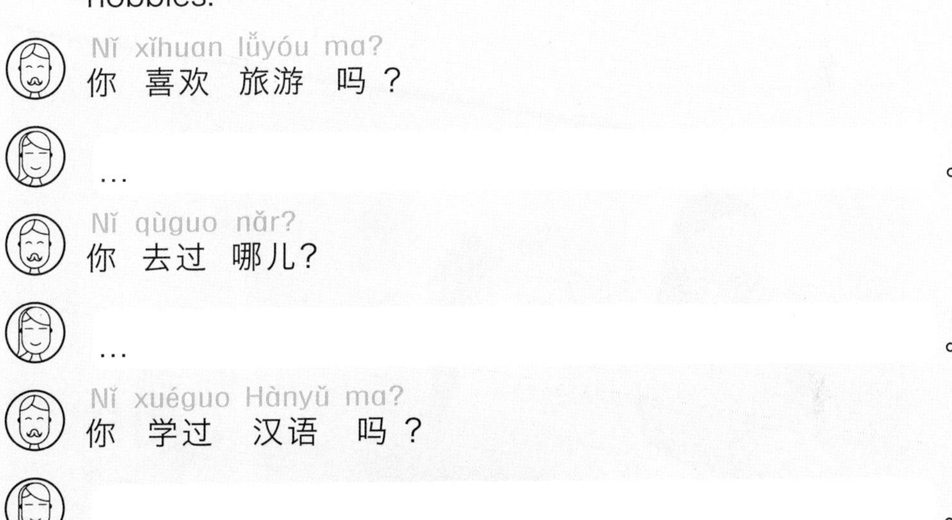

Nǐ xǐhuan lǚyóu ma?
你 喜欢 旅游 吗？

… 。

Nǐ qùguo nǎr?
你 去过 哪儿?

… 。

Nǐ xuéguo Hànyǔ ma?
你 学过 汉语 吗？

… 。

b / Secretary Li asks Secretary Gao about Manager Wang's hobbies.

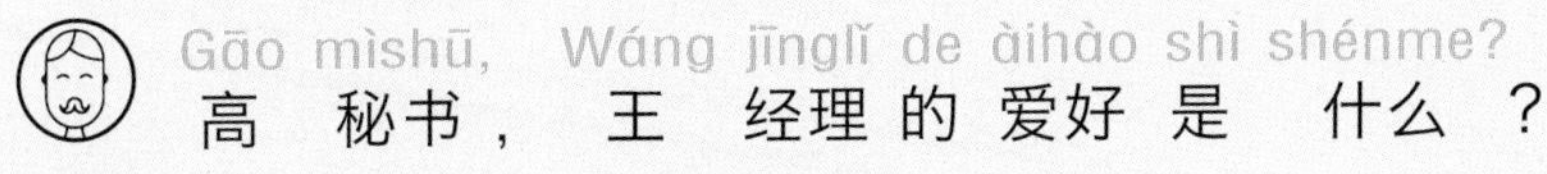

Gāo mìshū, Wáng jīnglǐ de àihào shì shénme?
高 秘书， 王 经理 的 爱好 是 什么 ？

… 。

… ？

… 。

Nǐ ne?
你 呢？

… 。

3/ According to the information below, talk about these individuals' hobbies. Try to use the words and sentence patterns you have learned.

…

4/ Talk about your best friend's hobbies. Try to use the words and sentence patterns you have learned.

...

5/ Talk about your colleagues' hobbies. Try to use the words and sentence patterns you have learned.

...

6/ Talk about your hobbies. Try to use the words and sentence patterns you have learned.

...

wǒ zuò dìtiě lái shàngbān

我坐地铁来上班

[I go to work by subway]

Dialogues / 对话

1

Nǐ měi tiān zěnme lái shàngbān?
你每天怎么来上班？
[How do you get to work every day?]

Wǒ zuò gōnggòng qìchē, nǐ ne?
我坐公共汽车，你呢？
[I take the bus, and you?]

Wǒ zuò dìtiě.
我坐地铁。
[I take the subway.]

[n.] 公共汽车 | bus

[n.] 地铁 | subway

2

Nǐ měi tiān zěnme lái shàngbān?
你每天怎么来上班？
[How do you get to work every day?]

Wǒ de jiā lí gōngsī hěn jìn,
我的家离公司很近，
wǒ měi tiān zǒulù shàngbān, nǐ ne?
我每天走路上班，你呢？
[My home is quite close to the company,
so I walk to work every day. What about you?]

Wǒ de jiā lí gōngsī hěn yuǎn,
我的家离公司很远，
wǒ měi tiān kāichē shàngbān.
我每天开车上班。
[My home is quite far from the company,
so I drive to work every day.]

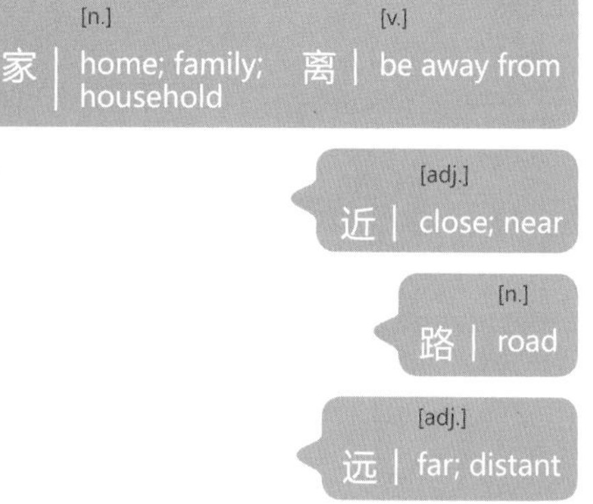

3

Nǐ měi tiān zěnme lái shàngbān?
你 每 天 怎么 来 上班 ？
[How do you get to work every day?]

Wǒ měi tiān zuò dìtiě lái shàngbān, nǐ ne?
我 每 天 坐 地铁 来 上班 ，你 呢？
[I take the subway every day, and you?]

Dìtiě suīrán hěn kuài, dànshì rén tài duō le.
地铁 虽然 很 快， 但是 人 太 多 了。
[The subway is very fast, but there are too many people.]

Wǒ kāichē lái shàngbān.
我 开车 来 上班 。
[I drive to work every day.]

[adj.] 快 | fast

[adj.] 多 | a lot of

4

Nǐ měi tiān zěnme lái shàngbān?
你 每 天 怎么 来 上班 ？
[How do you get to work every day?]

Wǒ zuò 35 lù gōnggòng qìchē.
我 坐 35 路 公共 汽车。
[I take the No. 35 bus.]

Zuò gōnggòng qìchē yào duō cháng shíjiān?
坐 公共 汽车 要 多 长 时间 ？
[How long does it take by bus ?]

Yí gè duō xiǎoshí.
一 个 多 小时 。
[Over an hour.]

[mw.] 路 | *used to indicate a bus route*

[v.] 要 | cost; take

[adv.] 多 | how

[n.] 时间 | time

[part.] 多 | more; over; odd

[n.] 小时 | hour

5

Nǐ měi tiān zěnme lái shàngbān?
你 每 天 怎么 来 上班 ？
[How do you get to work every day?]

Wǒ zuò dìtiě.
我 坐 地铁。
[I take the subway.]

Yào zuò duōshao zhàn?
要 坐 多少 站 ？
[How many stations are there before you arrive?]

Wǔ zhàn.
五 站 。
[Five stations.]

Bú tài yuǎn.
不 太 远 。
[Not too far.]

[aux.] 要 | ought to; might; must; should

[nm.] 站 | distance between two bus stops

Passage / 短文

50%

Nǐmen měi tiān zěnme qù shàngbān? Lǐ
你们 每 天 怎么 去 上班 ？李
Hǎo de jiā lí gōngsī hěn jìn, tā měi tiān zǒulù
好 的 家 离 公司 很 近，她 每 天 走路
shàngbān, yào zǒu shí fēnzhōng. Wǒ jiā lí
上班，要 走 十 分钟。我 家 离
gōngsī hěn yuǎn, wǒ zuò dìtiě shàngbān, yào
公司 很 远，我 坐 地铁 上班，要
zuò shí zhàn. Dìtiě suīrán hěn kuài, dànshì
坐 十 站。地铁 虽然 很 快，但是
rén tài duō le. Lǐ jīnglǐ de jiā yě hěn yuǎn,
人 太 多 了。李 经理 的 家 也 很 远，
tā kāichē shàngbān, yào kāi yí gè xiǎoshí.
他 开车 上班，要 开 一 个 小时。
Zhāng Yíng de jiā bú tài yuǎn, tā měi tiān zuò
张 迎 的 家 不 太 远，她 每 天 坐
gōnggòng qìchē shàngbān, yào zuò bàn gè
公共 汽车 上班，要 坐 半 个
xiǎoshí.
小时。

[n.] 分钟 | minute

How do you go to work every day? Li Hao's home is close to the company, so she walks to work every day. It takes her ten minutes. My home is far from the company, so I go to work by subway. There are ten stations before I arrive. The subway is fast, but there are too many people. Manager Li's home is also very far from the company, so he drives to work. It takes him an hour by car. Zhang Ying's home is not very far from the company, so she takes the bus, which takes half an hour.

Words and phrases / 词语

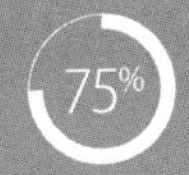

gōnggòng qìchē
公共汽车 / [n.] bus

jiā
家 / [n.] home; family; household

jìn
近 / [adj.] close; near

yuǎn
远 / [adj.] far; distant

kuài
快 / [adj.] fast

yào
要 / [v.] cost; take
[aux.] ought to; might; must; should

xiǎoshí
小时 / [n.] hour

fēnzhōng
分钟 / [n.] minute

dìtiě
地铁 / [n.] subway

lí
离 / [v.] be away from

lù
路 / [n.] road
[mw.] used to indicate a bus route

kāi
开 / [v.] drive

duō
多 / [adj.] a lot of
[adv.] how
[part.] more; over; odd

shíjiān
时间 / [n.] time

zhàn
站 / [nm.] distance between two bus stops

Exercises / 练习 100%

1/ Substitution drills.

Wǒ jīntiān shì zǒulù lái shàngbān de.
a/ 我 今天 是 走路 来 上班 的。

Nǐ jiā yǒu duō yuǎn?
b/ 你家 有 多 远？

Chāoshì lí tā jiā hěn jìn.

c / 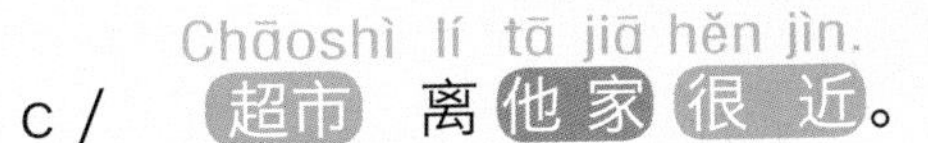

yīyuàn 医院	gōngsī 公司	hěn yuǎn 很 远
wǒ de bàngōngshì 我 的 办公室	zhèr 这儿	bù yuǎn 不 远

Zuò dìtiě yào zuò sān zhàn.

d / 坐 地铁 要 坐 三 站 。

zuò gōnggòng qìchē 坐 公共 汽车	zuò 坐	yí gè xiǎoshí 一 个 小时
kāichē 开车	kāi 开	sān tiān 三 天
zǒulù 走路	zǒu 走	èrshí fēnzhōng 二十 分钟

Zǒulù yào shí duō fēnzhōng.

e / 走路 要 十 多 分钟 。

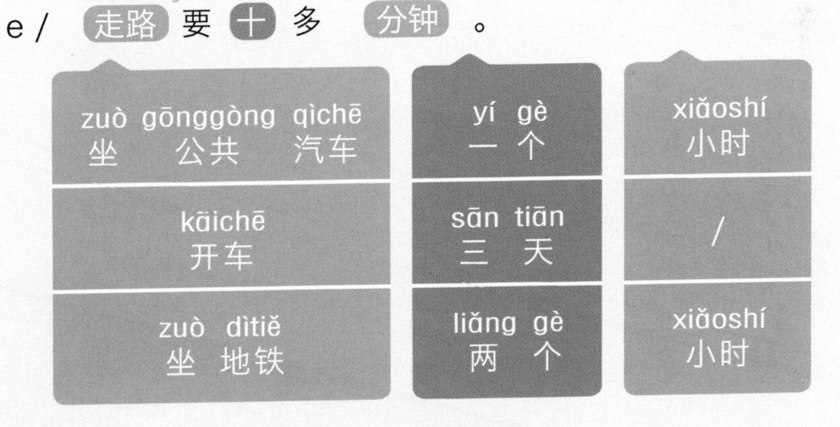

2/ Complete the following dialogues using the words you have learned.

a / Miss Li wants to go to the supermarket, but she does not know where it is. Miss Wang advises her to go to the supermarket on foot.

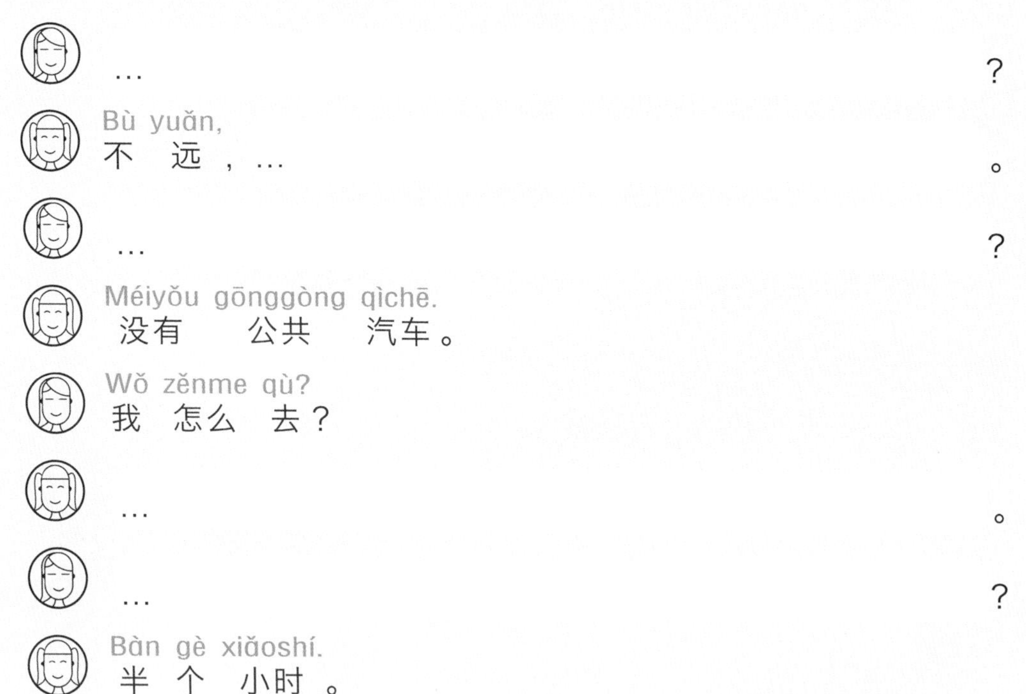

b / Mr Zhang invites Mr Gao to his home, but Mr Gao does not know where it is. Mr Zhang tells him how to get there.

Xīngqītiān lái wǒ jiā ba?
星期天 来 我 家 吧？

Hǎo,
好，… ?

Nǐ kěyǐ zuò dìtiě, yě kěyǐ zuò gōnggòng qìchē.
你 可以 坐 地铁，也 可以 坐 公共 汽车。

… ?

…。

… ?

…。

Wǒ zuò dìtiě qù ba, dìtiě hěn kuài.
我 坐 地铁 去 吧，地铁 很 快。

3/ According to the following pictures, talk about these individuals' modes of transport. Try to use the words and sentence patterns you have learned.

4/ Find out how your colleagues get to work every day. Try to use the words and sentence patterns you have learned.

...

5/ Talk about how you get to work every day. Try to use the words and sentence patterns you have learned.

...

wǒmen gōngsī zài CBD

我们 公司 在 CBD

[Our company is in the CBD]

Dialogues / 对话

1

Qǐngwèn, nǐmen xuéxiào zài nǎr?
请问，你们 学校 在 哪儿？
[May I ask where your school is?]

[n.] 学校 | school

Wǒmen xuéxiào zài CBD.
我们 学校 在 CBD.
[Our school is in the CBD.]

Lí zhèr yuǎn ma?
离 这儿 远 吗？
[Is it far from here?]

Bù yuǎn, zǒulù yào shí fēnzhōng.
不 远，走路 要 十 分钟。
[Not far. It takes ten minutes on foot.]

2

Wáng jīnglǐ, nǐmen gōngsī zài nǎr?
王 经理，你们 公司 在 哪儿？
[Manager Wang, where is your company?]

Wǒmen gōngsī zài CBD de Chángyuǎn Shāngwù Zhōngxīn 25 céng.
我们 公司 在 CBD 的 长远 商务 中心 25 层。
[Our company is on the 25th floor of the ChangYuan Business Center in the CBD.]

[n.] 商务 | commercial affairs; business affairs

[n.] 中心 | centre

Shì zài dìtiězhàn de dōngbian ma?
是 在 地铁站 的 东边 吗？
[Is it to the east of the subway station?]

Shì de, shì zài dìtiězhàn de dōngbian.
是的，是在地铁站的东边。
[Yes, it is to the east of the subway station.]

Hǎo de, wǒ zhīdào le.
好的，我知道了。
[All right, I've got it.]

3

Lǐ jīnglǐ, nǐmen gōngsī zài nǎr?
李经理，你们公司在哪儿？
[Manager Li, where is your company?]

Wǒmen gōngsī zài Běijīnglù 15 hào de Guìpéng Shāngwù Zhōngxīn.
我们公司在北京路 15 号的贵朋商务中心。
[Our company is in the Guipeng Business Center at 15 Beijing Road.]

Shì zài Běijīngzhàn de xībian ma?
是在北京站的西边吗？
[Is it to the west of the Beijing Railway Station?]

Shì de, shì zài Běijīngzhàn de xībian.
是的，是在北京站的西边。
[Yes, it is to the west of the Beijing Railway Station.]

Wǒ zhīdào le, xiàwǔ jiàn.
我知道了，下午见。
[I've got it. See you this afternoon.]

Xiàwǔ jiàn.
下午见。
[See you this afternoon.]

4

Gāo jīnglǐ, nǐmen gōngsī zài nǎr?
高经理，你们公司在哪儿？
[Manager Gao, where is your company?]

Wǒmen zài Sānyǒu Shāngyè Zhōngxīn 16 céng.
我们在三友商业中心 16 层。
[Our company is on the 16th floor of the Sanyou Business Center in the CBD.]

[n.] 商业 | business; commerce

Shì zài CBD ma?
是在 CBD 吗？
[Is it in the CBD?]

Bú shì, wǒmen gōngsī zài Wǔlùqiáo
不 是， 我们 公司 在 五路桥
nánbian de Sānyǒu Shāngyè Zhōngxīn.
南边 的 三友 商业 中心 。
[No, our company is at the Sanyou Business Center to the south of Wulu Bridge.]

[n.] 桥 | bridge

[n.] 南 | south

Wǔlùqiáo nán, Sānyǒu Shāngyè Zhōngxīn,
五路桥 南， 三友 商业 中心 ，
xièxie, xiàwǔ jiàn.
谢谢 ， 下午 见 。
[South of Wulu Bridge, Sanyou Business Center, thank you. See you this afternoon.]

Hǎo de, xiàwǔ jiàn.
好 的， 下午 见 。
[Right, see you this afternoon.]

5

Zhāng jīnglǐ, nǐmen gōngsī zài nǎr?
张 经理， 你们 公司 在 哪儿?
[Manager Zhang, where is your company?]

Wǒmen gōngsī zài CBD de
我们 公司 在 CBD 的
XīngGuì Shāngwù Zhōngxīn 28 céng.
兴贵 商务 中心 28 层 .
[Our company is on the 28th floor of the Xinggui Business Center in the CBD.]

Shì zài CBD de běibian ma?
是 在 CBD 的 北边 吗 ?
[Is it to the north of the CBD?]

[n.] 北 | north

Bú shì, zài CBD de dōngbian.
不 是 , 在 CBD 的 东边 。
[No, it is to the east of the CBD.]

Hǎo de, wǒ zhīdào le, míngtiān jiàn.
好 的, 我 知道 了, 明天 见 。
[Right, I've got it. See you tomorrow.]

Míngtiān jiàn.
明天 见 。
[See you tomorrow.]

Passage / 短文

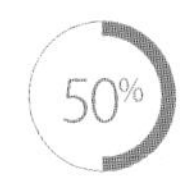

Wǒmen gōngsī zài CBD de Gāoyuǎn Shāngwù Zhōngxīn. Lóu de dōngbian yǒu yí gè dìtiězhàn, xībian yǒu yí gè chāoshì, nánbian yǒu yí gè yīyuàn, běibian yǒu yí gè xuéxiào. Wǒ měi tiān zuò dìtiě lái shàngbān, xiàbān hòu qù xuéxí Hànyǔ.

我们公司在 CBD 的高远商务中心。楼的东边有一个地铁站，西边有一个超市，南边有一个医院，北边有一个学校。我每天坐地铁来上班，下班后去学习汉语。

[n.] 楼 | building

Our company is at the Gaoyuan Business Center in the CBD. There is a subway station to the east of the building, a supermarket to the west, a hospital to the south, and a school to the north. I go to work by subway every day and study Chinese after work.

Words and phrases / 词语

75%

xuéxiào 学校 / [n.] school	shāngwù 商务 / [n.] commercial affairs; business affairs
zhōngxīn 中心 / [n.] centre	dōng 东 / [n.] east
xī 西 / [n.] west	shāngyè 商业 / [n.] business; commerce

qiáo 桥 / [n.] bridge	nán 南 / [n.] south
běi 北 / [n.] north	lóu 楼 / [n.] building

Exercises / 练习 100%

1/ Substitution drills.

Zài CBD de dōngbian.
a / 在 CBD 的 东边 。

xī 西	nán 南	běi 北

Wǒmen gōngsī de dōngbian shì yí gè chāoshì.
b / 我们 公司 的 东边 是 一 个 超市 。

东	超市
xī 西	dìtiězhàn 地铁站
nán 南	yínháng 银行
běi 北	yīyuàn 医院

Wǒmen gōngsī zài Běijīnglù 5 hào.
c / 我们 公司 在 北京路 5 号。

2/ Complete the following dialogues using the words and sentence patterns you have learned.

zài ... de dōngbian / nánbian / xībian / běibian 在……的 东边 / 南边 / 西边 / 北边	
dōngbian / nánbian / xībian / běibian shì ... 东边 / 南边 / 西边 / 北边 是……	lù / hào 路 / 号

a / Miss Li and Miss Gao decide to have dinner at Haoyou Restaurant. But Miss Li does not know where the restaurant is, so she asks Miss Gao.

Wǒmen qù Hǎoyǒu Cāntīng chīfàn ba.
我们 去 好友 餐厅 吃饭 吧。

Hǎoya,
好呀，… ?

… 。

Běijīnglù zài nǎr?
北京路 在 哪儿？

… ，… 。

Hǎo de, wǒ zhīdào le.
好 的，我 知道 了。

b / Mr Li wants to study Chinese at a language school. He wants to know where it is, so he calls the school.

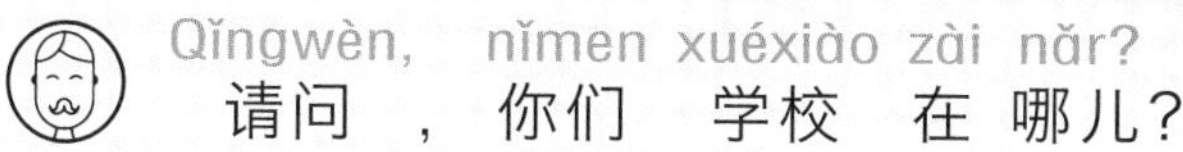

Qǐngwèn, nǐmen xuéxiào zài nǎr?
请问，你们 学校 在 哪儿？

… 。

… ？

… 。

Shì zài Yīhào Chāoshì de běibian ma?
是 在 一号 超市 的 北边 吗？

Bú shì,
不 是，… 。

Hǎo de, wǒ zhīdào le.
好 的，我 知道 了。

3/ According to the following information, talk about the location. Try to use the words and sentence patterns you have learned.

…

4/ Where is your company? Try to use the words and sentence patterns you have learned.

…

6

míngtiān shì qíng tiān
明天 是 晴 天
[Tomorrow will be sunny]

Dialogues / 对话

1

Míngtiān tiānqì zěnmeyàng?
明天 天气 怎么样 ？
[What will the weather be like tomorrow?]

Míngtiān shì qíng tiān.
明天 是 晴 天。
[Tomorrow will be sunny.]

[adj.] 晴 | fine; clear

2

Xià yǔ le!
下 雨 了！
[It's raining!]

Wǒ dài sǎn le.
我 带 伞 了。
[I bring an umbrella with me.]

Wǒ méi dài sǎn.
我 没 带 伞。
[I didn't bring an umbrella with me.]

Méiguānxi, nǐ kěyǐ yòng wǒ de.
没关系，你 可以 用 我 的。
[That's fine, you can use mine.]

下雨 | rain

[v.] 带 | carry; take; bring; bear

[n.] 伞 | umbrella

[adj.] 阴 | cloudy; overcast

3

Jīntiān shì yīn tiān, yíhuìr huì xià yǔ ma?
今天 是 阴 天，一会儿 会 下 雨 吗？
[Today is cloudy. Will it rain soon?]

Bàozhǐ shang shuō jīntiān huì xià yǔ.
报纸 上 说 今天 会 下 雨。
[The newspaper says it will rain today.]

[v.] 说 | speak; talk; say

Zuótiān xià yǔ le, jīntiān kěnéng bú huì xià yǔ ba.
昨天 下 雨 了，今天 可能 不 会 下 雨 吧。
[It rained yesterday. It probably will not rain today.]

[n.] 昨天 | yesterday

Xià yǔ yě méiguānxi, wǒ dài sǎn le.
下 雨 也 没关系，我 带 伞 了。
[It does not matter if it rains. I brought an umbrella with me.]

4

Bàozhǐ shang shuō jīntiān tiānqì zěnmeyàng?
报纸 上 说 今天 天气 怎么样？
[What does the newspapers say about the weather today?]

Qíng tiān, dànshì huì guā fēng.
晴 天，但是 会 刮 风。
[Sunny, but it will be windy.]

[v.] 刮（风）| blow (wind)

Jīntiān zhēn lěng,
今天 真 冷，
zuì gāo wēndù shì duōshao?
最 高 温度 是 多少？
[Today is so cold. What is the highest temperature today?]

[adv.] 最 | the most
[adj.] 高 | high; tall
[n.] 温度 | temperature

Wǔ dù, zuì dī wēndù shì líng xià sān dù.
五 度，最 低 温度 是 零 下 三 度。
[Five degrees, the lowest is three below zero.]

[n.] 度 | degree
[adj.] 低 | low; down

Bǐ zuótiān lěng.
比 昨天 冷。
[It is colder than yesterday.]

[prep.] 比 | *used to make comparison*

Shì, zuìjìn tài lěng le.
是，最近 太 冷 了。
[Yes, it has been so cold recently.]

Jīnglǐ, nǐ xià zhōu qù Běijīng chūchāi ma?
经理，你 下 周 去 北京 出差 吗？
[Manager, will you be on business in Beijing next week?]

Shì de, Běijīng tiānqì zěnmeyàng?
是 的，北京 天气 怎么样？
[Yes, how's the weather in Beijing?]

Xiàle sān tiān de yǔ, jīntiān shì qíng tiān,
下了 三 天 的 雨，今天 是 晴 天，
hěn rè, zuì gāo wēndù shì sānshíwǔ dù.
很 热，最 高 温度 是 三十五 度。
[It have been raining for three days. Today is sunny and very hot, and the high is thirty five degrees.]

Xià zhōu bǐ zhè zhōu rè ma?
下周比这周热吗？
[Will next week be hotter than this week?]

Shì de, xià zhōu dōu shì qíng tiān, bú huì xià yǔ.
是的，下周都是晴天，不会下雨。
[Yes, next week will be sunny and will not rain.]

Passage / 短文

50%

Jīntiān shàngwǔ shì yīn tiān, xiàwǔ kěnéng huì xià yǔ. Bàozhǐ shang shuō, míngtiān shì qíng tiān, huì guā fēng, wēndù méiyǒu jīntiān gāo. Lǐ jīnglǐ hěn xǐhuan Běijīng xià yǔ de tiānqì, wēndù bù gāo, bǐ Hánguó lěng. Wǒ bù xǐhuan xià yǔ, xià yǔ de tiānqì wēndù bǐ qíng tiān dī, yǒudiǎnr lěng.

今天上午是阴天，下午可能会下雨。报纸上说，明天是晴天，会刮风，温度没有今天高。李经理很喜欢北京下雨的天气，温度不高，比韩国冷。我不喜欢下雨，下雨的天气温度比晴天低，有点儿冷。

没有 [v.] can't compare with others

Today is cloudy in the morning, and it may rain in the afternoon. The newspaper says that it will be sunny and windy tomorrow, and the temperature will not be higher than today. Mr Li likes rainy days in Beijing. The temperature is not very high, and colder than Korea. I don't like rainy days. The temperature is lower than on sunny days. It's a little bit cold.

Words and phrases / 词语

qíng
晴 / [adj.] fine; clear

dài
带 / [v.] carry; take; bring; bear

yīn
阴 / [adj.] cloudy; overcast

huì
会 / [aux.] be sure to; be likely to

shuō
说 / [v.] speak; talk; say

guā fēng
刮（风）/ [v.] blow (wind)

gāo
高 / [adj.] high; tall

dù
度 / [n.] degree

bǐ
比 / [prep.] *used to make comparison*

xià yǔ
下 雨 / rain

sǎn
伞 / [n.] umbrella

yíhuìr
一会儿 / [num.] a moment

bàozhǐ
报纸 / [n.] newspaper

zuótiān
昨天 / [n.] yesterday

zuì
最 / [adv.] the most

wēndù
温度 / [n.] temperature

dī
低 / [adj.] low; down

méiyǒu
没有 / [v.] can’t compare with others

Exercises / 练习

1/ Substitution drills.

a / Qíng le
晴了。

yīn 阴	xià yǔ 下雨	guā fēng 刮风

b / Jīntiān de wēndù zuì gāo.
今天的温度最高。

hēisè de xīzhuāng 黑色的西装	guì 贵
zhè jiā shāngdiàn 这家商店	jìn 近
zuò dìtiě 坐地铁	kuài 快

c / Zuótiān bǐ jīntiān rè.
昨天比今天热。

jīntiān de wēndù 今天的温度	míngtiān 明天	dī 低
dìtiě 地铁	kāichē 开车	kuài 快
tā 他	wǒ 我	gāo 高

Jīntiān méiyǒu zuótiān rè.
d / 今天 没有 昨天 热。

Wǒ dài sǎn le
e / 我 带 伞 了。

xīzhuāng 西装	bàozhǐ 报纸	wénjiàn 文件

2/ Complete the following dialogues using the words and sentence patterns you have learned.

bǐ 比	zuì 最
bàozhǐ shang shuō ... 报纸 上 说 ……	méiyǒu 没有

a / Miss Zhang is reading a newspaper and Miss Li wants to know what the weather is like tomorrow.

Míngtiān tiānqì zěnmeyàng?
明天 天气 怎么样 ？

… 。

Rè ma?
热 吗？

… 。

Bǐ jīntiān rè ma?
比 今天 热 吗？

… 。

b / Mr Li will be on business to Beijing next week. He asks Mr Wang what the weather will be like in Beijing next week.

Wáng jīnglǐ, wǒ xià zhōu qù Běijīng chūchāi,
王 经理，我 下 周 去 北京 出差，

… ？

… 。

Lěng ma?
冷 吗？

… 。

Shì Běijīng lěng háishi wǒmen zhèr lěng?
是 北京 冷 还是 我们 这儿 冷？

… 。

3/ Here is the weather forecast for next week. Talk about the weather using the words and sentence patterns you have learned.

Monday	Tuesday	Wednesday	Thursday	Friday	Saturday	Sunday
16℃ /5℃	15℃ /3℃	11℃ /2℃	15℃ /1℃	13℃ /0℃	9℃ /-1℃	10℃ /-1℃

zhōuyī
周一 …

zhōu'èr
周二 …

zhōusān
周三 …

zhōusì
周四 …

zhōuwǔ
周五 …

zhōuliù
周六 …

zhōurì
周日 …

4/ Talk about what the weather will be this week using the words and sentence patterns you have learned.

...

5/ Find out what kinds of weather your colleagues prefer. Try to use the words and sentence patterns you have learned.

...

6/ Talk about what kind of weather you prefer. Try to use the words and sentence patterns you have learned.

...

7

wǒ shēngbìng le

我 生 病 了

[I am sick]

Dialogues / 对话

1

Nǐ zěnme le?
你 怎么 了？
[Are you fine?]

Wǒ kěnéng gǎnmào le?
我 可能 感冒 了。
[I might have a cold.]

[v.] 感冒 | have a cold

Nǐ tài lèi le.
你 太 累 了。
[You are too tired.]

2

Zhāng jīnglǐ, nín hǎo, wǒ shì Lǐ Xiǎomíng.
张 经理，您 好，我 是 李 小明 。
[Manager Zhang, hi, I am Li Xiaoming.]

Nǐ hǎo.
你 好 。
[Hello.]

Zhāng jīnglǐ, wǒ de shēntǐ bù shūfu,
张 经理，我 的 身体 不 舒服，
xiǎng xiān qù kàn yīshēng,
想 先 去 看 医生 ，
ránhòu zài shàngbān.
然后 再 上班 。
[Manager Zhang, I am not feeling well.
I'd like to go to the doctor then come back to work today.]

Hǎo de nǐ xiān qù ba.
好 的，你 先 去 吧。
[Yes, go ahead.]

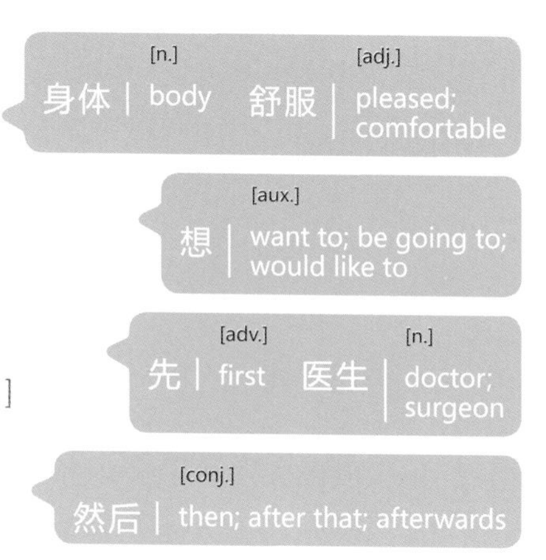

Xièxie nín, zàijiàn.
谢谢 您， 再见 。
[Thank you. See you later.]

Zàijiàn.
再见 。
[See you.]

3

Wāng jīnglǐ, nín hǎo, wǒ shì Lǐ hǎo.
王 经理，您 好，我 是 李 好。
[Manager Zhang, hi, I am Li Hao.]

Nǐ hǎo.
你 好 。
[Hello.]

Wǒ jīntiān fāshāo le, xiǎng qù kàn yīshēng.
我 今天 发烧 了， 想 去 看 医生 。
[Manager Zhang, I have a fever. I'd like to go to see a doctor today.]

[v.] 发烧 | have a fever

Hǎo de, nǐ qù ba.
好 的，你 去 吧。
[Yes, go ahead.]

Xièxie nín, zàijiàn.
谢谢 您， 再见 。
[Thank you. Good bye.]

Zàijiàn.
再见 。
[Good bye.]

4

Nín nǎr bù shūfu?
您 哪儿 不 舒服？
[What's troubling you?]

Wǒ zhèr téng, zhèr yě bù shūfu.
我 这儿 疼 ，这儿 也 不 舒服。
[It hurts here, and I don't feel very well.]

[adj.] 疼 | ache; hurt

Wǒ kànkan ... Méiyǒu fāshāo, nǐ gǎnmào le.
我 看看 …… 没有 发烧 ，你 感冒 了。
Nǐ xiān chī diǎnr yào ba.
你 先 吃 点儿 药 吧。
[Let me see. You do not have a fever. You have a cold.
Just take this medicine for now.]

[n.] 药 | medicine

Hǎo de, xièxie nín.
好 的，谢谢 您。
[Yes, thank you.]

Yào duō xiūxi.
要 多 休息。
[Be sure to get more rest.]

[adv.]
多 | much more; far more

Zhèxiē tiān tài máng le, méi shíjiān xiūxi.
这些 天 太 忙 了，没 时间 休息。
[I am really too busy. There is no time for rest.]

[mw.]
些 | some; a little bit

5

Nín shēntǐ hǎo xiē le ma?
您 身体 好 些 了 吗？
[Are you feeling a little better now?]

Wǒ chīle diǎnr yào, kuài hǎo le.
我 吃了 点儿 药，快 好 了。
[I took some medicine and will get better soon.]

[adv.]
快 | be going to; will; shall

Nín tài lèi le, yào duō xiūxi.
您 太 累 了，要 多 休息。
[You must be quite tired, and you should get more rest.]

Wǒ tài máng le.
我 太 忙 了。
[I have been so busy.]

Míngtiān shì xīngqīliù, nín kěyǐ xiūxi yíxià.
明天 是 星期六，您 可以 休息 一下。
[Tomorrow is Saturday so you can have a good rest.]

Shì, wǒ yào hǎohǎo xiūxi yíxià.
是，我 要 好好 休息 一下。
[Yes, I will have a good rest.]

Passage / 短文 50%

Lǐ jīnglǐ, nín hǎo, wǒ shì Wáng Huān. Wǒ shēngbìng le, jīntiān qù kànle yīshēng. Yīshēng shuō wǒ gǎnmào le, yǒudiǎnr fāshāo, ràng wǒ duō xiūxi. Wǒ xiǎng zàijiā xiūxi liǎng tiān, kěyǐ ma? XièXie nín.

李经理，您好，我是王欢。我生病了，今天去看了医生。医生说我感冒了，有点儿发烧，让我多休息。我想在家休息两天，可以吗？谢谢您。

Hello Manager Li, I am Wang Huan. I am sick and I saw a doctor today. The doctor told me that I had a cold, a little fever, and that I have to rest for two days. Is that OK? Thank you.

生病 | [v.] fall sick; fall ill; get ill; be taken ill

让 | [v.] let; allow; make; ask

Words and phrases / 词语 75%

gǎnmào
感冒 / [v.] have a cold

shēntǐ
身体 / [n.] body

shūfu
舒服 / [adj.] pleased; comfortable

xiǎng
想 / [aux.] want to; be going to; would like to

xiān
先 / [adv.] first

yīshēng
医生 / [n.] doctor; surgeon

ránhòu 然后 / [conj.] then; after that; afterwards	fāshāo 发烧 / [v.] have a fever
téng 疼 / [adj.] ache; hurt	yào 药 / [n.] medicine
duō 多 / [adv.] much more; far more	xiē 些 / [mw.] some; a little bit
kuài 快 / [adv.] be going to; will; shall	shēngbìng 生病 / [v.] fall sick; fall ill; get ill; be taken ill
ràng 让 / [v.] let; allow; make; ask	

Exercises / 练习

100%

1/ Substitution drills.

Wǒ xiǎng xiūxi yíxià.

a / 我 想 休息 一下。

tā 他	dǎ diànhuà 打 电话
tā 她	zuò dìtiě 坐 地铁
Wáng xiānsheng 王 先生	hē diǎnr píjiǔ 喝 点儿 啤酒

Nǐ yào duō xiūxi.
b / 你 要 多 休息。

hē shuǐ 喝 水	shuō Hànyǔ 说 汉语	chī shuǐguǒ 吃 水果

Yīshēng ràng wǒ duō xiūxi.
c / 医生 让 我 多 休息。

jīnglǐ 经理	tā 他	gěi wǒ dǎ diànhuà 给 我 打 电话
Lǐ xiǎojiě 李 小姐	Wáng xiānsheng 王 先生	qù tāmen gōngsī 去 他们 公司
Zhāng xiānsheng 张 先生	mìshū 秘书	jiào yí liàng chūzūchē 叫 一 辆 出租车

Wǒ yào xiūxi sān tiān.
d / 我 要 休息 三 天。

tā 他	qù 去	yí gè xīngqī 一 个 星期
Gāo xiānsheng 高 先生	pǎo 跑	yí gè xiǎoshí bù 一 个 小时 步
Lǐ xiǎojiě 李 小姐	xuéxí 学习	yì nián 一 年

Wǒ kuài hǎo le.
e / 我 快 好 了。

tā 他	dào gōngsī 到 公司
xiànzài 现在	sān diǎn 三 点
/	xiàyǔ 下雨

2/ Complete the following dialogues using the words and sentence patterns you have learned.

xiǎng / ràng / xiān ... ránhòu / duō / kuài ... le
想 / 让 / 先……然后 / 多 / 快……了

a / Miss Li asks Miss Gao why she didn' t come to work yesterday.

Nǐ zuótiān zěnme méi lái shàngbān?
你 昨天 怎么 没 来 上班 ？
Shēntǐ bù shūfu ma?
身体 不 舒服 吗 ？

… 。

Jīntiān zěnmeyàng le?
今天 怎么样 了？

… 。

… 。

Xièxie nǐ.
谢谢 你。

b / Mr Wang has been ill for several days. Mr Zhang asks about his physical condition.

Nǐ jīntiān zěnmeyàng le?
你 今天 怎么样 了？

… 。

Míngtiān shì xīngqīliù, nǐ kěyǐ xiūxi yíxià.
明天是星期六，你可以休息一下。

… 。

Chūchāi? Nǐ zhēn máng!
出差？你真忙！

… 。

3/ Here are a few messages from your colleagues. Try to express them in Chinse by using the words and sentence patterns you have learned.

a / I can not attend the meeting today because I have a fever. Please inform Manager Li and ask him if I can take three days leave. Thank you!

…

b / I want to see a doctor today because I have a cold. Please tell Manager Zhang and ask her if I may take a day's leave. Thank you!

…

4/ Call your manager to request a day off. Try to use the words and sentence patterns you have learned.

...

5/ Find out the methods your colleagues use to keep healthy. Discuss them and try to use the words and sentence patterns you have learned.

...

8

nín yào liúyán ma

您要留言吗

[Would you like to leave a message?]

Dialogues / 对话

1

Wáng mìshū, wǒ yǒu liúyán ma?
王秘书，我有留言吗？
[Secretary Wang, do I have any messages?]

Yǒu, zhè shì nín de liúyán.
有，这是您的留言。
[Yes, here are your messages.]

Xièxie.
谢谢。
[Thanks.]

> 留言 [n.] | message

2

Nín hǎo, qǐngwèn, Wáng jīnglǐ zài ma?
您好，请问，王经理在吗？
[Hello, is Manager Wang in?]

Tā zhèngzài kāihuì,
他正在开会，
[He is attending a conference now.

nín yào gěi tā liúyán ma?
您要给他留言吗？
Would you like to leave a message?]

Wǒ shì CTI Gōngsī de Wáng huān, qǐng gàosu tā,
我是CTI公司的王欢，请告诉他，
[I am Wang Huan from the CTI company. Please tell him

wǒ míngtiān yào chūchāi, bù néng hé tā jiànmiàn le.
我明天要出差，不能和他见面了。
I will be on a business trip tomorrow and will not be able to meet with him.]

Hǎo de, wǒ huì gàosu tā de.
好的，我会告诉他的。
[Okay, I will tell him.]

> 正在 [adv.] | in the process of

> 要 [aux.] | hope; want; wish

> 留言 [v.] | leave a message

> 告诉 [v.] | tell

> 要 [aux.] | be going to; shall; will

> 能 [aux.] | can; may

3

Nín hǎo, qǐngwèn Lǐ jīnglǐ zài ma?
您好，请问李经理在吗？
[Excuse me. Is Manager Li in?]

Tā xiànzài bú zài.
她现在不在。
[She is not in right now.]

Wǒ kěyǐ gěi tā liúyán ma?
我可以给她留言吗？
[May I leave her a message?]

Kěyǐ, nín qǐng shuō.
可以，您请说。
[Of course. Go ahead.]

Wǒ shì CTI Gōngsī de Gāo Xiǎomíng,
我是CTI公司的高小明，
[I am Gao Xiaoming from the CTI company.

qǐng tā gěi wǒ huí gè diànhuà,
请她给我回个电话，
Please ask her to call me back,

wǒ de diànhuà shì 010–59307634.
我的电话是010-59307634。
and my number is 010-59307634.]

Hǎo de, wǒ huì gàosu Lǐ jīnglǐ de.
好的，我会告诉李经理的。
[Okay, I will tell Manager Li .]

4

Nín hǎo, shì Wáng xiǎojiě ma?
您好，是王小姐吗？
[Hello, is this Miss Wang?]

Shì de, nín shì Wáng jīnglǐ ba?
是的，您是王经理吧？
[Yes, you must be Manager Wang.]

Shì de, gāngcái wǒ zài kāihuì,
是的，刚才我在开会，
[Yes, I was in a meeting just now,

在 | [adv.] in the process of doing sth

wǒmen míngtiān bù néng jiànmiàn le, shì ma?
我们明天不能见面了，是吗？
so we won't be able to meet tomorrow, right?]

Shì de, wǒ xīngqīsì huí,
是 的，我 星期四 回，
[Yes, I will come back on Thursday.
wǒmen xīngqīwǔ jiànmiàn zěnmeyàng?
我们 星期五 见面 怎么样 ？
How about we meet on Friday?]

Kěyǐ, nà wǒmen xīngqīwǔ jiàn ba.
可以，那 我们 星期五 见 吧。
[Sure, then let's see each other on Friday.]

Hǎo de xīngqīwǔ jiàn.
好 的，星期五 见 。
[Okay, see you on Friday.]

5

Nín hǎo, shì Gāo xiānsheng ma?
您 好，是 高 先生 吗？
[Hello, is this Mr Gao?]

Shì de, nín shì Lǐ jīnglǐ ba?
是 的，您 是 李 经理 吧？
[Yes, I am. This must be Manager Li.]

Duì, zuótiān nín lái de shíhou wǒ bú zài,
对 ， 昨天 您 来 的 时候 我 不 在，
[Yes, I was not in when you came to our company yesterday.
nín yǒu shénme shìqing ma?
您 有 什么 事情 吗？
What was it that you wanted to talk about?]

[n.]
事情 | matter; business

Wǒ xiǎng hé nín jiàn gè miàn, míngtiān kěyǐ ma?
我 想 和 您 见 个 面 ， 明天 可以 吗？
[I would like to meet with you. Would tomorrow be okay?]

Kěyǐ, nín lái wǒmen gōngsī ba.
可以，您 来 我们 公司 吧.
[Sure, come to our company.]

Hǎo de, míngtiān jiàn.
好 的， 明天 见 。
[Sure, see you tomorrow.]

Passage / 短文

Nín hǎo, Lǐ jīnglǐ. Wǒ shì CTI Gōngsī de Lǐ Hǎo. Wǒ shēngbìng le, yào zàijiā xiūxi yíxià. Xià zhōuyī bù néng hé nín kāihuì le. Wǒ xīngqīwǔ shàngbān, wǒmen kěyǐ xīngqīwǔ kāihuì ma? Qǐng gěi wǒ huí gè diànhuà, xièxie.

您好，李经理。我是CTI公司的李好。我生病了，要在家休息一下。下周一不能和您开会了。我星期五上班，我们可以星期五开会吗？请给我回个电话，谢谢。

Hello, Manager Li. I am Li Hao from the CTI company. I am sick and will rest at home for a few days. I can not have a meeting with you next Monday. I will go back to work on Friday. Can we have a meeting then? Please call me back. Thank you.

Words and phrases / 词语

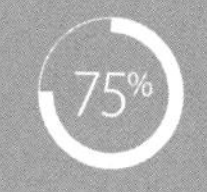

liúyán
留言 / [n.] message [v.] leave a message

zhèngzài
正在 / [adv.] in the process of

yào
要 / [aux.] hope; want; wish
[aux.] be going to; shall; will

gàosu
告诉 / [v.] tell

néng
能 / [aux.] can; may

zài
在 / [adv.] in the process of doing sth

shìqing
事情 / [n.] matter; business

Exercises / 练习

100%

1/ Substitution drills.

Lǐ jīnglǐ zhèngzài kāihuì.
a / 李经理 正在 开会。

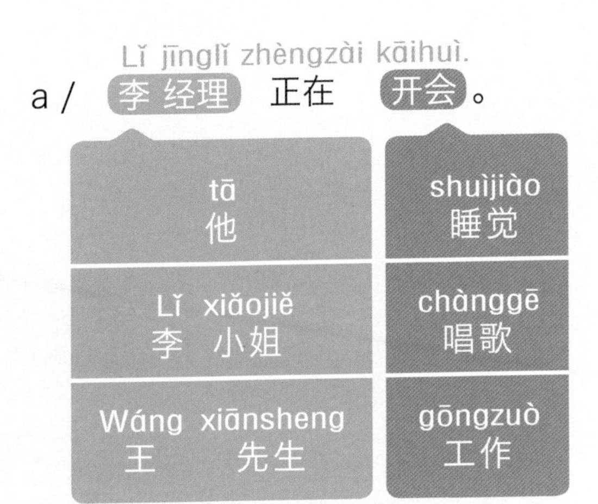

Gāngcái wǒ zài xiūxi.
b / 刚才 我 在 休息。

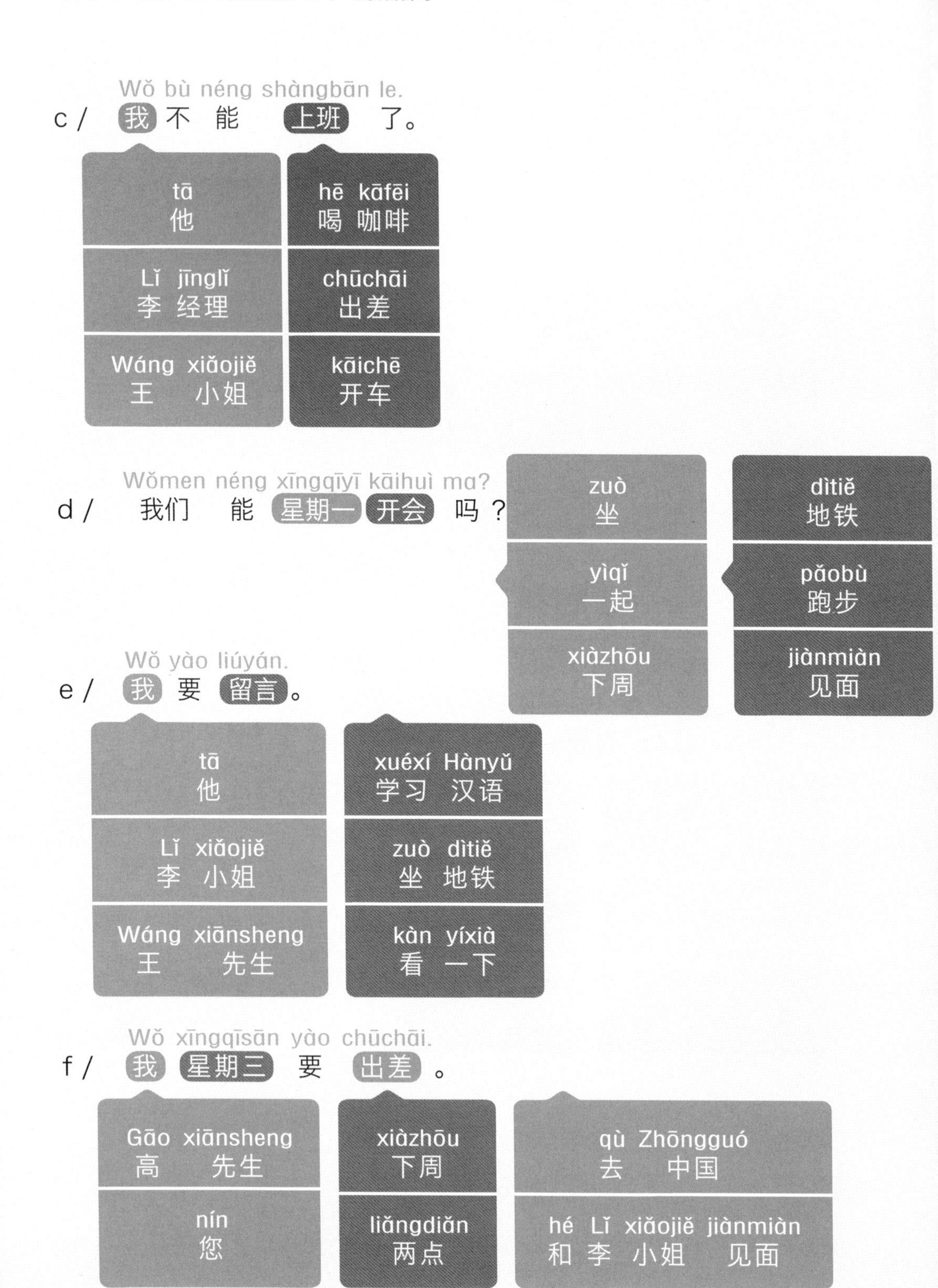
Wǒ bù néng shàngbān le.
c / 我 不 能 上班 了。
tā
他
Lǐ jīnglǐ
李 经理
Wáng xiǎojiě
王 小姐
hē kāfēi
喝 咖啡
chūchāi
出差
kāichē
开车
Wǒmen néng xīngqīyī kāihuì ma?
d / 我们 能 星期一 开会 吗？
zuò
坐
yìqǐ
一起
xiàzhōu
下周
dìtiě
地铁
pǎobù
跑步
jiànmiàn
见面
Wǒ yào liúyán.
e / 我 要 留言。
tā
他
Lǐ xiǎojiě
李 小姐
Wáng xiānsheng
王 先生
xuéxí Hànyǔ
学习 汉语
zuò dìtiě
坐 地铁
kàn yíxià
看 一下
Wǒ xīngqīsān yào chūchāi.
f / 我 星期三 要 出差。
Gāo xiānsheng
高 先生
nín
您
xiàzhōu
下周
liǎngdiǎn
两点
qù Zhōngguó
去 中国
hé Lǐ xiǎojiě jiànmiàn
和 李 小姐 见面

2/ Complete the following dialogues using the words you have learned.

néng 能	zhèngzài 正在	zài 在	yào 要

a / Miss Li calls Manager Wang to tell him that they can not meet on Friday because she will be on a business trip. But his secretary tells her that Manager Wang is not in and ill. Miss Li leaves a message for him.

Nín hǎo, Wáng jīnglǐ zài ma?
您 好 ， 王 经理 在 吗 ？

… 。

Wǒ shì CTI Gōngsī de Lǐ Hǎo,
我 是 CTI 公司 的 李 好 ，… 。

… 。

Xièxie, zàijiàn.
谢谢 ， 再见 。

b / Mr Zhang calls Mr Li to reschedule a meeting. Because Mr Li is on the phone. Mr Zhang leaves a message asking him to call back.

Zhāng xiānsheng, nín hǎo!
张 先生 ，您 好 ！

3/ Here is a message you have received. Please reply to the message using the words and sentence patterns you have learned.

From: Zhang Ying	To: Mr Gao
Date: 2014/11/25	Time: 9:45 a.m.

Message:
Miss Zhang's flight will arrive in Beijing on November 27th. She wants you to help her book a hotel. Give her a call this afternoon. Her phone number is 15810898152.

From: Li Xiaoming	To: Mr Gao
Date: 2014/11/25	Time: 10:45 a.m.

Message:
Mr Li wants to introduce Mr Smith to you. He wants to arrange a time with you. Give him a call as soon as possible. His phone number is 13011145945.

4/ Leave a message for your friends, using the words and sentence patterns you have learned.

9

zhēn bù hǎoyìsi

真不好意思

[I am sorry]

Dialogues / 对话

1

Láojià, qǐng ràng yíxià.
劳驾，请让一下。
[Excuse me, please step aside.]

Bàoqiàn.
抱歉。
[Sorry.]

Fēicháng gǎnxiè!
非常感谢！
[Thank you very much.]

[adv.] 非常 | very　[v.] 感谢 | thank; be grateful; appreciate

2

Lǐ xiǎojiě, wǒmen zhōusān jiàn, zěnmeyàng?
李小姐，我们周三见，怎么样？
[Miss Li, how about we meet on Wednesday?]

Zhōusān? Jīntiān shì zhōusān.
周三？今天是周三。
[Wednesday? Today is Wednesday.]

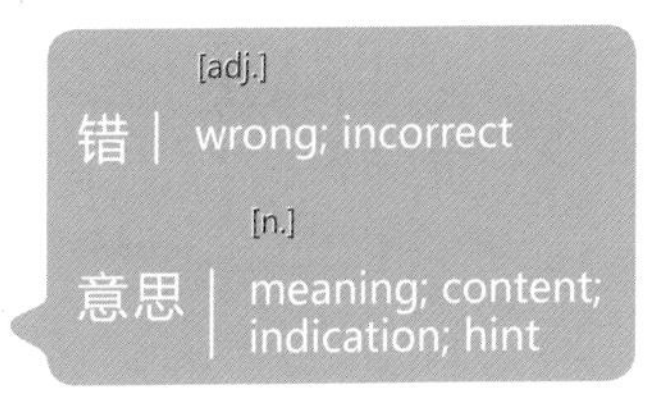

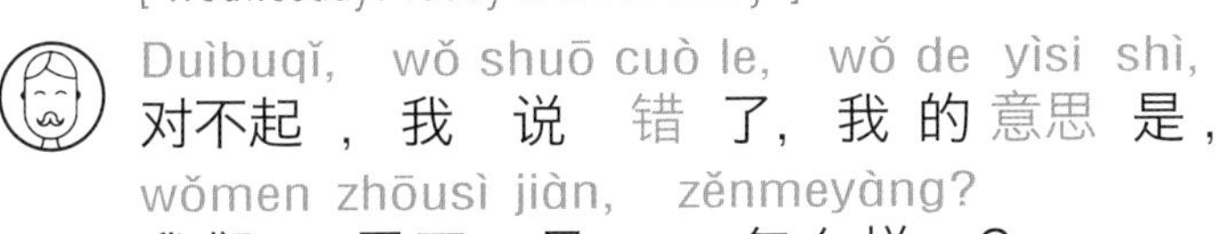

Duìbuqǐ, wǒ shuō cuò le, wǒ de yìsi shì,
对不起，我说错了，我的意思是，
wǒmen zhōusì jiàn, zěnmeyàng?
我们周四见，怎么样？
[I am sorry. I made a mistake.
I mean how about we meet on Thursday?]

Xíng.
行。
[Alright.]

3

Xiānsheng, zhè shì nín de kāfēi.
先生，这是您的咖啡。
[Sir, here is your coffee.]

Kāfēi? wǒ diǎn de shìchá.
咖啡？我点的是茶。
[Coffee? I ordered tea.]

Zhēn bù hǎoyìsi, wǒ xiěcuò le.
真不好意思，我写错了。
[Sorry, I must have written it down wrong.]

Méi guānxi.
没关系。
[No problem.]

4

Nín hǎo, qǐngwèn shì Lǐ Hǎo xiǎojiě ma?
您好，请问是李好小姐吗？
[Hello, is that Miss Li Hao?]

Shì de, nín shì Gāo xiānsheng ba?
是的，您是高先生吧？
[Yes, you must be Mr Gao.]

Shìde, zhēn bàoqiàn, wǒ yào wǎn bàn gè xiǎoshí dào.
是的，真抱歉，我要晚半个小时到。
[Yes, I am. I am really sorry but I will be half an hour late.]

Méi guānxi, wǒ děng nín.
没关系，我等您。
[No problem, I will wait for you.]

[V.]
等 | wait

Hǎo de, xièxie nín.
好的，谢谢您。
[Alright, thank you.]

5

Wáng xiǎojiě, nín jīntiān zài gōngsī ma?
王小姐，您今天在公司吗？
[Miss Wang, are you in today?]

Bù hǎoyìsi, wǒ jīntiān xiūxi.
不好意思，我今天休息。
[Sorry, I'm off today.]

Wǒmen bú shì sì hào jiàn ma?
我们 不是四号见吗？
[Weren't we meant to meet on the 4th?]

Bú shì, wǒ hé nín shuō de shì shí hào jiàn.
不是，我和您说的是十号见。
[No, I told you we would meet on the 10th.]

Zhēn bàoqiàn, wǒ kěnéng tīng cuò le.
真抱歉，我可能听错了。
[I am sorry. I must have misheard you.]

[v.]
听 | hear; listen

Méi guānxi.
没关系。
[No problem.]

Passage / 短文

50%

Jīntiān wǒ zuòcuò le hěn duō shìqing. Gāo Fēi ràng wǒ mǎi kāfēi, wǒ mǎicuò le, mǎile chá. Lǐ Hǎo ràng wǒ sān diǎn kāihuì, wǒ tīngcuò le, liǎng diǎn qù de, děngle yí gè xiǎoshí. Wáng Huān ràng wǒ gàosu tā Wáng jīnglǐ de diànhuà, wǒ shuō cuò le, shuō de shì Lǐ jīnglǐ de diànhuà. Wǒ zhèshi zěnme le?

今天我做错了很多事情。高飞让我买咖啡，我买错了，买了茶。李好让我三点开会，我听错了，两点去的，等了一个小时。王欢让我告诉她王经理的电话，我说错了，说的是李经理的电话。我这是怎么了？

I made a lot of mistakes today. Gao Fei wanted me to buy him a coffee but I bought him a tea. Li Hao wanted me to have a meeting at three. I misheard and went to the meeting at two. I waited for an hour. Wang Huan wanted me to give her Manager Wang's phone number but I give her Manager Li's number by mistake. What is wrong with me?

Words and phrases / 词语

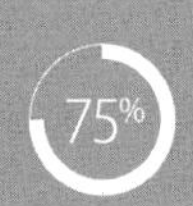

láojià	劳驾	[v.]	excuse me
bàoqiàn	抱歉	[v.]	be sorry; feel apologetic; regret
gǎnxiè	感谢	[v.]	thank; be grateful; appreciate
yìsi	意思	[n.]	meaning; content; indication; hint
děng	等	[v.]	wait
ràng	让	[v.]	give way; give ground; yield; give up
fēicháng	非常	[adv.]	very
cuò	错	[adj.]	wrong; incorrect
xiě	写	[v.]	write
tīng	听	[v.]	hear; listen

Exercises / 练习

1/ Substitution drills.

a / Wǒ dǎcuò le.
我打错了。

tā 他	tīng 听
Lǐ xiǎojiě 李小姐	shuō 说
Gāo xiānsheng 高先生	xiě 写

Jīntiān bú shì xīngqīyī ma?
b / 今天 不 是 星期一 吗？

Qǐng děng wǒ yíxià.
c / 请 等 我 一下。

Tiānqì fēicháng hǎo!
d / 天气 非常 好！

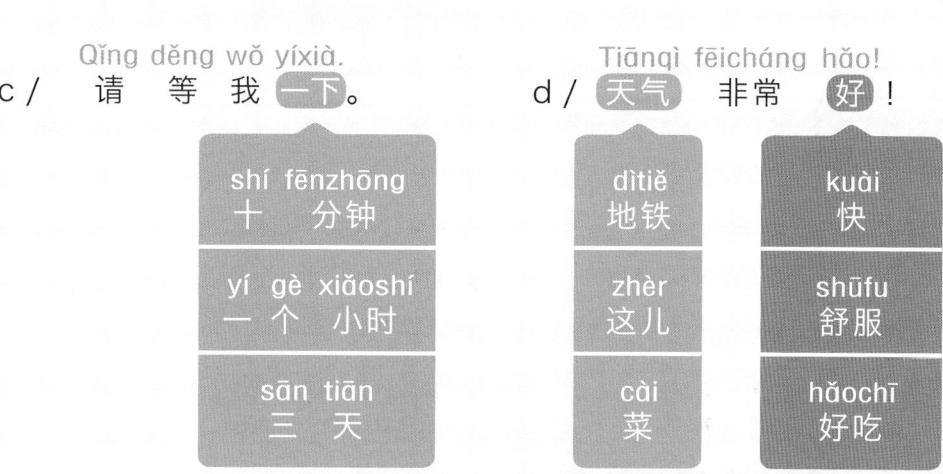

2/ Complete the following dialogue using the sentence patterns you have learned.

wǒ de yìsi shì … 我 的 意思 是……	bù hǎoyìsi 不 好意思
hěn bàoqiàn 很 抱歉	bú shì … ma? 不 是…… 吗？

a / Mr Li calls Mr Gao to ask whether he has mailed the files. Mr Gao checks the address with Mr Li and realizes that he wrote a wrong address.

Shì Gāo xiānsheng ma?
是 高 先生 吗？

Shì de, nín shì Lǐ xiānsheng?
是 的，您 是 李 先生 ？

Shìde,
是的，… ？

Wǒ yǐjīng jì le,
我 已经 寄（[v.] post）了，… ？

Bú shì,
不 是，… 。

… 。

Méi guānxi, qǐng zài gěi wǒ jì yíxià.
没 关系， 请 再 给 我 寄 一下。

b / Miss Qian gives ￥100 to the taxi driver and will get ￥60 change, but the driver only gives her ￥40.

Gěi nín yìbǎi yuán.
给 您 一百 元 。

… 。

… ？

… 。

… 。

Zài gěi nín èrshí yuán.
再 给 您 二十 元 。

3/ Look at the given pictures below and discuss the mistakes they made. Try to use the words and sentence patterns you have learned.

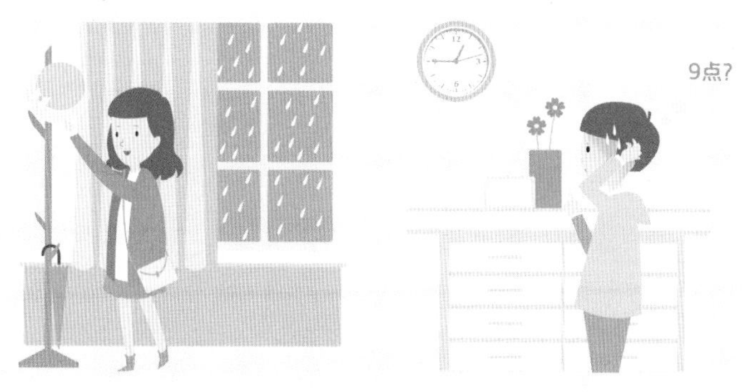

4/ Please ask your colleagues about mistakes they have made in the past. Try to use the words and sentence patterns you have learned.

...

5/ Think and talk about a day when things may have gone wrong. Try to use the words and sentence patterns you have learned.

...

nín xūyào bāngzhù ma

您 需要 帮助 吗

[Can I help you?]

Dialogues / 对话

1

Nín xūyào bāngzhù ma?
您 需要 帮助 吗？
[Can I help you?]

Shì, fùjìn yǒu dìtiězhàn ma?
是，附近 有 地铁站 吗？
[Yes, is there a subway station near here?]

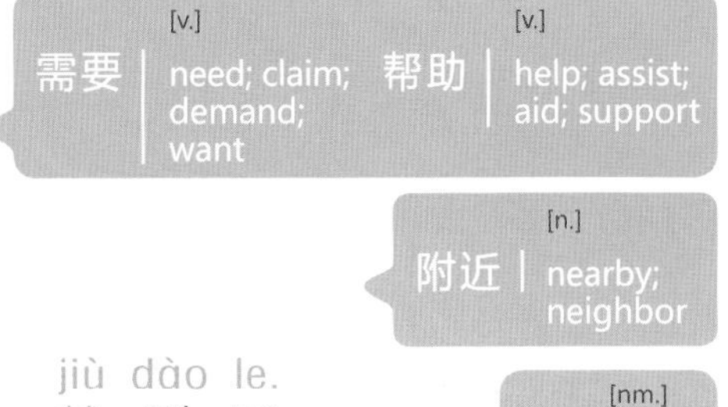

Yǒu, nín wǎng dōng zǒu sānbǎi mǐ, jiù dào le.
有，您 往 东 走 三百 米，就 到 了。
[Yes, walk three hundred meters eastward, and you will find it.]

Xièxie!
谢谢！
[Thanks.]

就 [adv.] immediately; right now; right away

2

Nín xūyào bāngzhù ma?
您 需要 帮助 吗？
[Can I help you?]

Qǐngwèn, fùjìn yǒu shāngdiàn ma?
请问，附近 有 商店 吗？
[Excuse me, is there a store near here?]

商店 [n.] shop; store

Yǒu, wǎng xī zǒu liǎngbǎi mǐ, xiàng zuǒ zhuǎn, jiù dào le.
有，往 西 走 两百 米，向 左 转，就 到 了。
[Yes, walk two hundred meters westward then turn left, and you will be there.]

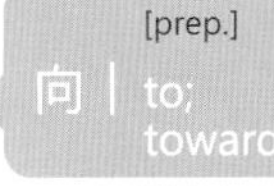

Xièxie!
谢谢！
[Thanks.]

Bié kèqi.
别客气。
[Don't mention it.]

[adv.]
别 | don't

3

Nín xūyào bāngzhù ma?
您需要帮助吗？
[Can I help you?]

Qǐngwèn, fùjìn yǒu yóujú ma?
请问，附近有邮局吗？
[Excuse me, is there a post office near here?]

[n.]
邮局 | post office

Yǒu, wǎng nán zǒu sānbǎi mǐ,
有，往南走三百米，
ránhòu yòu zhuǎn, jiù dào le.
然后右转，就到了。
[Yes, walk three hundred meters southward then turn right, and you will be there.]

Fēicháng gǎnxiè!
非常感谢！
[Thanks a lot!]

Bié kèqi.
别客气。
[Don't mention it.]

4

Nín xūyào bāngzhù ma?
您需要帮助吗？
[Can I help you?]

Láojià, qù Běijīngzhàn zěnme zǒu?
劳驾，去北京站怎么走？
Wǒ yào qù zuò huǒchē.
我要去坐火车。
[Excuse me, how do I get to the Beijing Railway Station? I need to take the train.]

[n.]
火车 | train

Xiàng běi zǒu, ránhòu zuǒ zhuǎn, jiù dào le.
向北走，然后左转，就到了。
[Walk northward and then turn left and you will be there.]

Lí zhèr yǒu duō yuǎn?
离这儿有多远？
[How far is it from here?]

Zǒu shí fēnzhōng jiù dào le.
走 十 分钟 就 到 了。
[Walk ten minutes and you will be there.]

Xièxie!
谢谢！
[Thanks.]

Bié kèqi.
别 客气。
[Don't mention it.]

5

Nín xūyào bāngzhù ma?
您 需要 帮助 吗？
[Can I help you?]

Láojià, fùjìn yǒu xǐshǒujiān ma?
劳驾，附近 有 洗手间 吗？
[Excuse me, is there a restroom near here?]

Dìtiězhàn li yǒu, nǐ yìzhí zǒu jiù dào le.
地铁站 里 有，你 一直 走 就 到 了。
[There is one in the subway station.
Walk straight ahead and you will be there.]

[n.] 里 | interior; inside

[adj.] 一直 | straight; straight forward

Lí zhèr yǒu duō yuǎn?
离 这儿 有 多 远？
[How far is it from here?]

Yìbǎi duō mǐ.
一百 多 米。
[Just over a hundred meters.]

Xièxie!
谢谢！
[Thanks!]

Bié kèqi.
别 客气。
[Don't mention it.]

Passage / 短文 50%

Zěnme qù Běijīng Yīyuàn? Kěyǐ zuò 5 lù gōnggòng
怎么 去 北京 医院？可以 坐 5 路 公共
qìchē, zài Běijīng Yīyuàn Zhàn xià chē jiù xíng le, yào zuò yí gè
汽车，在 北京 医院 站 下 车 就 行 了，要 坐 一 个
duō xiǎoshí. Gōnggòng qìchēzhàn hěn jìn, wǎng dōng zǒu yìbǎi
多 小时。公共 汽车站 很 近，往 东 走 一百
duō mǐ, zuǒ zhuǎn jiù dào le. Nǐ yě kěyǐ zuò dìtiě, zuò dìtiě
多 米，左 转 就 到 了。你 也 可以 坐 地铁，坐 地铁
bǐ zuò gōnggòng qìchē kuài, zài Běijīngzhàn xià chē, bàn gè
比 坐 公共 汽车 快，在 北京站 下 车，半 个
duō xiǎoshí jiù dào le. Dìtiězhàn yào yìzhí wǎng xī zǒu, zǒu shí
多 小时 就 到 了。地铁站 要 一直 往 西 走，走 十
duō fēnzhōng jiù dào le.
多 分钟 就 到 了。

How to get to the Beijing Hospital? You can take the No. 5 bus and get off at the Beijing Hospital Stop. It will take about an hour to get there. The bus stop is near so just walk one hundred meters eastward then turn left and you will be there. You could also get there by subway. Taking the subway is quicker than taking the bus because you get off at the Beijing Station. It will take about half an hour. Walking westward straight about ten minutes you will find the subway station.

Words and phrases / 词语

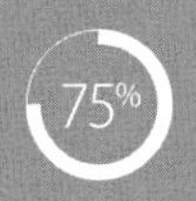

xūyào
需要 / [v.] need; claim; demand; want

bāngzhù
帮助 / [v.] help; assist; aid; support

fùjìn
附近 / [n.] nearly;neighbor

mǐ
米 / [mw.] meter

jiù
就 / [adv.] immediately; right now; right away

shāngdiàn
商店 / [n.] shop; store

xiàng
向 / [prep.] to; towards

zhuǎn
转 / [v.] turn

bié
别 / [adv.] don't

yóujú
邮局 / [n.] post office

huǒchē
火车 / [n.] train

li
里 / [n.] interior; inside

yìzhí
一直 / [adj.] straight; straight forward

Exercises / 练习 100%

1/ Substitution drills.

a / Xiàng dōng zǒu.
向 东 走。

xī 西 | nán 南 | běi 北

b / Xiàng zuǒ zhuǎn.
向 左 转 。

yòu 右

c / Zǒu yìbǎi mǐ jiù dào le.
走 一百 米 就 到 了。

liǎngbǎi 两百 | sānbǎi 三百

d / Dìtiězhàn li yǒu xǐshǒujiān.
地铁站 里 有 洗手间 。

gōngsī 公司
bēizi 杯子
shǒujī 手机

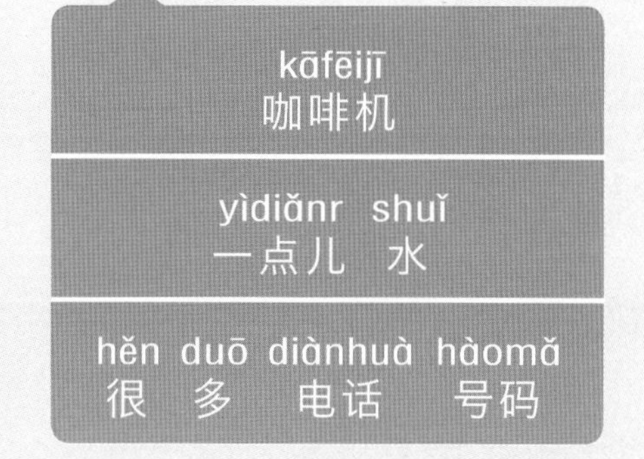

kāfēijī 咖啡机
yìdiǎnr shuǐ 一点儿 水
hěn duō diànhuà hàomǎ 很 多 电话 号码

2/ Complete the following dialogue using the words you have learned.

a / Miss Li wants to know where the Shuxing Hotel(舒兴宾馆) is, so she asks somebody for directions.

b / Mr Gao can not find the Changyuan Business Center (长远商务中心), so he asks somebody for directions.

Láojià,
劳驾，… ?

… ?

… ?

… 。

Xièxie.
谢谢。

… 。

3/ Here is a map. Try to help them find their destinations by using the words and sentence patterns you have learned.

Qǐngwèn, fùjìn yǒu yínháng ma?
请问，附近有银行吗？

...

Qǐngwèn, fùjìn yǒu yīyuàn ma?
请问，附近有医院吗？

...

Qǐngwèn, fùjìn yǒu bīnguǎn ma?
请问，附近有宾馆吗？

...

4/ Please investigate what places are nearby using the words and sentence patterns you have learned.

...

5/ Talk about the places around your home using the words and sentence patterns you have learned.

...

zhè shì nín de rìchéng

这是您的日程

[Here is your schedule]

Dialogues / 对话

1

Nín hǎo, nín shì Qián xiānsheng ma?
您好，您是钱先生吗？
[Hello, are you Mr Qian?]

Shì de, nín shì···
是的，您是……
[Yes, I am,and you are...]

Wǒ shì CTI Gōngsī de Zhāng Huān, Lǐ jīnglǐ ràng wǒ lái jiē nín.
我是CTI公司的张欢，李经理让我来接您。
[I am Zhang Huan from the CTI company. Manager Li has asked me to come and meet you.]

接 [v.] meet; welcome; pick up

Zhēnshi tài gǎnxiè le.
真是太感谢了。
[I really appreciate it.]

Nín bié kèqi.
您别客气。
[You're welcome.]

2

Kěyǐ zǒule ma? Wàibian yǒu liàng chē zài děng wǒmen.
可以走了吗？外边有辆车在等我们。
[Shall we go? I've got a car waiting outside to take us to your hotel.]

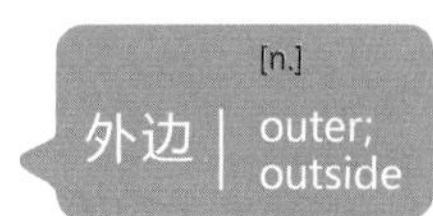

Hǎode, xièxie.
好的，谢谢。
[Sure, thanks.]

Wǒmen xiān qù bīnguǎn. wǒ zài chē shàng
我们 先 去 宾馆 。我 在 车 上
gàosu nín jīntiān de rìchéng.
告诉 您 今天 的 日程 。
[We will go to the hotel first and I will tell you your schedule for today in the car.]

[n.]
日程 | schedule

Hǎo de.
好 的。
[Great.].

3

Qǐng shàng chē.
请 上 车。
[Let's get in the car.]

Hǎo, wǒ jīntiān de rìchéng shì···
好 ，我 今天 的 日程 是……
[Yes, what is my schedule today?]

Zhōngwǔ, Lǐ jīnglǐ qǐng nín chīfàn, xiàwǔ zài
中午 ，李 经理 请 您 吃饭，下午 在
wǒmen gōngsī hé Lǐ jīnglǐ kāihuì.
我们 公司 和 李 经理 开会 。
[Mr Li would like to invite you to lunch at noon and then we will have a meeting with him at our company in the afternoon.]

Fēicháng hǎo, xièxie nín.
非常 好，谢谢 您 。
[That's wonderful. Thank you.]

Bié kèqi, rúguǒ nín yǒu shénme xūyào qǐng
别 客气，如果 您 有 什么 需要 请
gàosu wǒ.
告诉 我 。
[You're welcome. If there is anything you need, please let me know.]

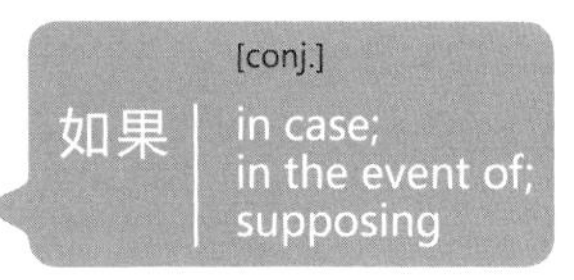

4

Qián xiānsheng, bīnguǎn dào le, qǐng xià chē.
钱 先生 ，宾馆 到 了，请 下 车 。
[Mr Qian, we have arrived at the hotel. Let's get out the car.]

Hǎo de.
好 的。
[Yes.]

Wǒ gěi nín dìngle yí gè shāngwùjiān, kěyǐ ma?
我 给 您 订了 一个 商务间 ，可以 吗？
[I booked a business room for you. Is that okay?]

Kěyǐ, wǒ xiān qù bàn shǒuxù.
可以，我 先 去 办 手续 。
[Yes, I will go ahead with the formalities.]

Hǎo de, nín xiān xiūxi yíxià,
好 的，您 先 休息 一下，
wǒmen zhōngwǔ shí'èr diǎn lái jiē nín.
我们 中午 十二 点 来 接 您。
[Okay, rest for now and we will collect you at twelve o'clock.]

Hǎo, yíhuìr jiàn.
好 ，一会儿 见 。
[Great, see you then.]

5

Qián xiānsheng, qǐng shàngchē.
钱 先生 ，请 上车 。
[Mr Qian, let's get in the car .]

Hǎode, Zhāng xiǎojiě,
好的 ，张 小姐 ，
qǐngwèn wǒ míngtiān de rìchéng shì shénme?
请问 我 明天 的 日程 是 什么 ？
[Alright. Miss Zhang, could you tell me my schedule for tomorrow?]

[n.]
夏天 | summer

Xiànzài shì xiàtiān, Běijīng hěn piàoliang,
现在 是 夏天 ，北京 很 漂亮 ，
nín xiǎng qù zǒuzou ma?
您 想 去 走走 吗？
[It's summer now and Beijing is very beautiful. Would you like to go for a walk?]

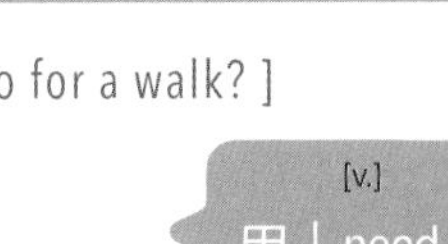

Búyòng le, xièxie.
不用 了，谢谢 。
Wǒ xiǎng qù jiàn yí gè péngyou.
我 想 去 见 一 个 朋友 。
[No, thank you, I would like to meet a friend.]

[v.]
用 | need

Nín xūyào yòng chē ma?
您 需要 用 车 吗？
[Do you need a car?]

Búyòng, xièxie.
不用 ，谢谢 。
[No, thanks.]

6

Qián xiānsheng, qǐng yòng chá.
钱先生，请用茶。
[Mr Qian, please have some tea.]

[v.]
用 | eat; drink

Xièxie nín, Lǐ jīnglǐ.
谢谢您，李经理。
[Thank you, Manager Li.]

Nín míngtiān de rìchéng shì shénme?
您明天的日程是什么？
[What is your schedule for tomorrow?]

Wǒ xiǎng qù jiàn yí gè péngyou.
我想去见一个朋友。
[I want to see a friend.]

Yǒu shénme xūyào qǐng gàosu Zhāng mìshū.
有什么需要请告诉张秘书。
[Please let Secretary Zhang know if there is anything you need.]

Hǎo de, xièxie.
好的，谢谢。
[Alright, thank you.]

Nín bié kèqi.
您别客气。
[You're welcome.]

Passage / 短文

50%

Lǐ xiānsheng, wǒ lái jièshào yíxià nín zài Zhōngguó de rìchéng. Nín de fēijī shì 11 yuè 15 hào shí diǎn dào, wǒ huì qù jīchǎng jiē nín. Wǒ gěi nín dìngle fángjiān, wǒ xiān sòng nín qù bīnguǎn. Zhōngwǔ Qián jīnglǐ qǐng nín chīfàn, xiàwǔ zài wǒmen gōngsī kāihuì. 11 yuè 16 hào nín kěyǐ xiūxi yíxià, rúguǒ nín xiǎng qù zǒuzou, wǒ kěyǐ sòng nín qù. Nín de fēijī shì 11 yuè

李先生，我来介绍一下您在中国的日程。您的飞机是11月15号十点到，我会去机场接您。我给您订了房间，我先送您去宾馆。中午钱经理请您吃饭，下午在我们公司开会。11月16号您可以休息一下，如果您想去走走，我可以送您去。您的飞机是11月

17 hào zǎoshang shíyī diǎn de, wǒ zǎoshang bā diǎn qù jiē nín,
17 号 早上 十一 点 的，我 早上 八 点 去 接 您，
sòng nín qù jīchǎng. Nín kàn zhèyàng de rìchéng kěyǐ ma?
送 您 去 机场。您 看 这样 的 日程 可以 吗？
Rúguǒ nín yǒu shénme xūyào, qǐng gàosu wǒ, bié kèqi.
如果 您 有 什么 需要，请 告诉 我，别 客气。

Mr Li, let me tell you about your schedule in China: Your flight arrives in Beijing on November 15th at ten and I will go to the airport to pick you up. I have booked a room for you and I will take you to the hotel first. Manager Qian will take you for lunch and in the afternoon we will have a meeting at our company. On November 16th, you can rest and if you want to look around the city, I can drive you there. Your flight leaves at eleven o'clock on November 17th, I will fetch you at eight and take you to the airport. What do you think of this schedule? If there is anything you need, please let me know.

Words and phrases / 词语

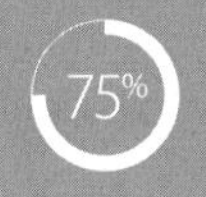

jiē
接 / [v.] meet; welcome; pick up

wàibian
外边 / [n.] outer; outside

rìchéng
日程 / [n.] schedule

qǐng
请 / [v.] entertain; treat

rúguǒ
如果 / [conj.] in case; in the event of; supposing that

shǒuxù
手续 / [n.] procedures; formalities; routine; process

xiàtiān
夏天 / [n.] summer

piàoliang
漂亮 / [adj.] good-looking; pretty; beautiful

yòng
用 / [v.] need
[v.] use
[v.] eat; drink

Exercises / 练习

1/ Substitution drills.

a / Wǒ qù jiē nín.
我去接您。

tāmen jiǔdiǎn lái 他们 九点 来	wǒ 我
tāmen qù jīchǎng 他们 去 机场	Gāo xiānsheng 高 先生
Lǐ xiǎojiě hé Wáng xiānsheng yìqǐ qù 李 小姐 和 王 先生 一起 去	Zhāng jīnglǐ 张 经理

b / Běijīng hěn piàoliang.
北京很漂亮。

Wáng xiǎojiě 王 小姐	zhège bàngōngshì 这个 办公室

c / Rúguǒ nín yǒu shénme xūyào, qǐng gàosu wǒ.
如果您有什么需要，请告诉我。

wǒ láiwǎn le 我 来晚 了	qǐng děng wǒ yíxià 请 等 我 一下
tā huí gōngsī 他 回 公司	qǐng ràng tā gěi wǒ huí diànhuà 请 让 他 给 我 回 电话
tā bāngzhùle nǐ 她 帮助了 你	nǐ yào xièxie tā 你 要 谢谢 她

2/ Complete the following dialogues, using the word you have learned.

rúguǒ
如果

a / Mr Gao will visit Miss Wang' s company. He wants to know his schedule, so he calls Miss Wang.

Wáng xiǎojiě, nín hǎo, wǒ shì CTI Gōngsī de Gāo Xiǎomíng.
王小姐，您好，我是 CTI 公司的高小明。

Nín hǎo, Gāo xiānsheng.
您好，高先生。

… ?

Qǐngwèn nín shénme shíhou dào?
请问您什么时候到？

… ?

kěyǐ ma?
…，可以吗？

Kěyǐ.
可以。

Gāo xiānsheng,
高先生，… 。

Dì-sān tiān de shàngwǔ wǒ de rìchéng shì shénme?
第三天的上午我的日程是什么？

Nín xiǎng qù zǒuzou ma?
您想去走走吗？

… 。

Bié kèqi.
别 客气。

b / Mr Li treats Mr Zhang to dinner, they are talking about tomorrow's schedule.

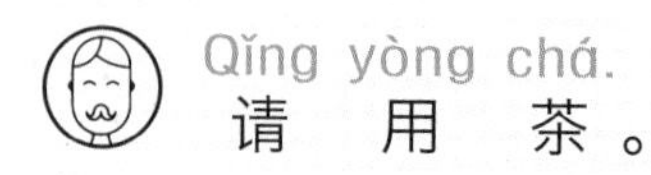

Qǐng yòng chá.
请 用 茶。

Xièxie,
谢谢，… ？

nín kàn xíng ma?
… ，您 看 行 吗？

Kěyǐ, míngtiān xiàwǔ yě kāihuì ma?
可以，明天 下午 也 开会 吗？

… ？

Xíng,
行，… 。

Bié kèqi.
别 客气。

3/ The following guests will visit your company. What is the best way to arrange their schedule? Try to use the words and sentence patterns you have learned.

Mr Li, male, 45 years old. He likes KTV and Chinese food. He will stay here for three days, but he will only spend one day meeting with our company. He will arrive at March 15th and leave at March 19th.	Mrs Zhang, female, 36 years old. She likes traveling and Japanese food. She will stay here for five days, but she will only spend one day meeting with our company. She will arrive at September 15th and leave at September 21th.

4/ If a friend is coming to visit you, how would you arrange their schedule? Try to use the words and sentence patterns you have learned.

...

5/ If the most important client is visiting your company, how would you arrange his/her schedule? Try to use the words and sentence patterns you have learned.

...

12

jīntiān yǒu shénme ānpái
今天 有 什么 安排
[Do you have any plans for today?]

Dialogues / 对话 

1

Nǐ jīntiān yǒu shénme ānpái?
你 今天 有 什么 安排 ？
[What are your plans for today?]

[n.] 安排 | plan to do sth.

Wǒ dǎsuàn hé péngyou yìqǐ qù chànggē, nǐ ne?
我 打算 和 朋友 一起 去 唱歌 ，你 呢 ？
[I am going to sing with my friends. How about you?]

[v.] 打算 | be going to do sth; plan to

Wǒ dǎsuàn qù pǎobù.
我 打算 去 跑步 。
[I am going to go running.]

2

Nǐ jīntiān yǒu shénme dǎsuàn ma?
你 今天 有 什么 打算 吗 ？
[What are your plans for today?]

[n.] 打算 | plan

Méiyǒu.
没有 。
[I don't have any.]

Chūntiān lái le, nǐ yuànyì gēn wǒmen yìqǐ qù zǒuzou ma?
春天 来 了，你 愿意 跟 我们 一起 去 走走 吗 ？
[Spring is here. Would you like to go with us for a walk?]

[n.] 春天 | spring

[prep.] 跟 | with

Wǒ yuànyì, shénme shíhou qù?
我 愿意 ， 什么 时候 去 ？
[I'd like to. When?]

Wǒ jiǔ diǎn qù nǐ jiā jiē nǐ.
我 九 点 去 你 家 接 你。
[I will come to your home at 7 o'clock to pick you up.]

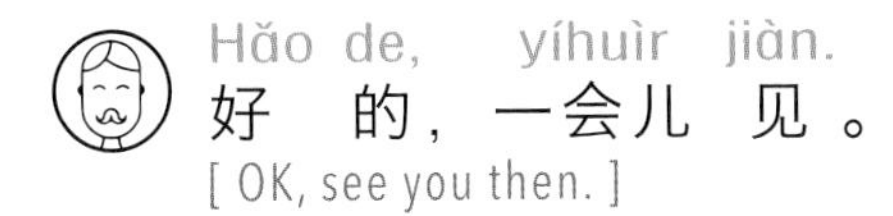

Hǎo de, yíhuìr jiàn.
好 的，一会儿 见 。
[OK, see you then.]

3

Nín míngtiān wǎnshang yǒu shénme ānpái ma?
您 明天 晚上 有 什么 安排 吗？
[What are your plans for tomorrow night?]

Méiyǒu.
没有 。
[I don't have any.]

Wǒ xiǎng qǐng nín chīfàn.
我 想 请 您 吃饭 。
[I would like to invite you to dinner.]

Nà tài hǎo le, xièxie nín de yāoqǐng.
那 太 好 了，谢谢 您 的 邀请 。
[That would be very nice. Thank you for your invitation.]

邀请 [v.] invite; call on; send an invitation

Wǒ wǎnshang 7 diǎn qù bīnguǎn jiē nín.
我 晚上 7 点 去 宾馆 接 您。
[I will go to your hotel at seven o'clock to pick you up.]

Hǎo de, míngtiān jiàn.
好 的， 明天 见 。
[OK. See you then.]

4

Nín míngtiān wǎnshang yǒu shénme ānpái ma?
您 明天 晚上 有 什么 安排 吗？
[What are your plans for tomorrow night?]

Méiyǒu.
没有 。
[I don't have any.]

Wǒ xiǎng qǐng nín chīfàn.
我 想 请 您 吃饭 。
[I would like to invite you to dinner.]

Xièxie nín de yāoqǐng,
谢谢 您 的 邀请 ，
dànshì wǒ yǒu diǎnr bù shūfu háishi bú qù le.
但是 我 有 点儿 不 舒服， 还是 不 去 了。
[Thank you for your invitation, but I am not feeling well, and would rather not go.]

还是 [adv.] had better

Nín xūyào kàn yīshēng ma?
您 需要 看 医生 吗？
[Do you need to see a doctor?]

Bú yòng, xièxie.
不 用 ， 谢谢 。
[No, that won't be necessary. Thanks.]

Nà nín zài bīnguǎn xiūxi ba,
那 您 在 宾馆 休息 吧，
rúguǒ xūyào qù yīyuàn, qǐng gěi wǒ dǎ diànhuà.
如果 需要 去 医院 ， 请 给 我 打 电话 。
[Have a good rest in the hotel. If you need to go to the hospital please give me a call.]

Hǎode, xièxie!
好的 ， 谢谢！
[Sure, thanks!]

5

Wáng xiǎojiě, qǐng yòng chá.
王 小姐 ， 请 用 茶 。
[Miss Wang, please have some tea.]

xièxie!
谢谢 ！
[Thanks!]

Jīntiān de ānpái mǎnyì ma?
今天 的 安排 满意 吗？
[Were you satisfied with today's arrangements?]

[v.] 满意 | be satisfied

Fēicháng mǎnyì, xièxie nín de ānpái.
非常 满意 ， 谢谢 您 的 安排 。
[Very satisfied, thanks you for arranging them.]

Nín shì wǒmen zuì zhòngyào de kèhù,
您 是 我们 最 重要 的 客户，
wǒmen yídìng yào ānpái hǎo.
我们 一定 要 安排 好 。
[You are our most important client so we wants to arrange things well.]

Nín ānpái de hěn hǎo, xièxie nín!
您 安排 得 很 好 ， 谢谢 您！
[You arranged everything very well. Thank you!]

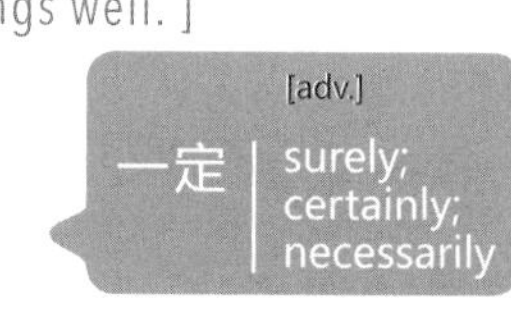

Nín bié kèqi.
您 别 客气。
[You're welcome.]

[v.] 安排 | plan in detail; arrange

Passage / 短文

50%

Wáng mìshū qǐng kànkan wǒ de rìchéng, gěi wǒ ānpái yíxià
王秘书，请看看我的日程，给我安排一下
zhèxiē shìqing. Dì-yī, Qián jīnglǐ yāoqǐng wǒ qù tāmen gōngsī
这些事情。第一，钱经理邀请我去他们公司
kāihuì, qǐng kànkan nǎ tiān wǒ yǒu shíjiān. Dì-èr, CTI Gōngsī
开会，请看看哪天我有时间。第二，CTI公司
shì wǒmen zuì zhòngyào de kèhù, wǒ yào hé tāmen de Lǐ jīnglǐ
是我们最重要的客户，我要和他们的李经理
jiànmiàn, qǐng gěi wǒ ānpái yíxià. Dì-sān, Zhāng jīnglǐ wèn wǒ
见面，请给我安排一下。第三，张经理问我
xià zhōu yuànyì bú yuànyì gēn tā yìqǐ chūchāi, wǒ xiǎng qù, xià
下周愿意不愿意跟他一起出差，我想去，下
zhōu wǒ bú zài, wǒ xià zhōu de rìchéng shì shénme? Rúguǒ yǒu
周我不在，我下周的日程是什么？如果有
zhòngyào de shìqing, qǐng ānpái dào xià xià zhōu.
重要的事情，请安排到下下周。

Miss Wang, please check my schedule and arrange these things for me. Firstly, Mr Qian invite me to their company to have a meeting, please find out which day I am free. Secondly, the CTI company is our most important client, so I need to meet with Manager Li. Please arrange this for me. Thirdly, Mr Zhang asked me to go on a business trip with him and I will go. So next week I am not in, what is my schedule for then? If there are important matters, please arrange them the week after next.

Words and phrases / 词语

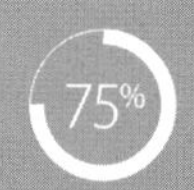

ānpái	安排	[n.]	plan to do sth.
		[v.]	plan in detail; arrange
chūntiān	春天	[n.]	spring
gēn	跟	[prep.]	with
háishi	还是	[adv.]	had better
zhòngyào	重要	[adj.]	important
yídìng	一定	[adv.]	surely; certainly; necessarily
dǎsuàn	打算	[v.]	be going to do sth.; plan to
		[n.]	plan
yuànyì	愿意	[aux.]	be willing; wish; like; want
yāoqǐng	邀请	[v.]	invite; call on; send an invitation
mǎnyì	满意	[v.]	be satisfied
kèhù	客户	[n.]	client

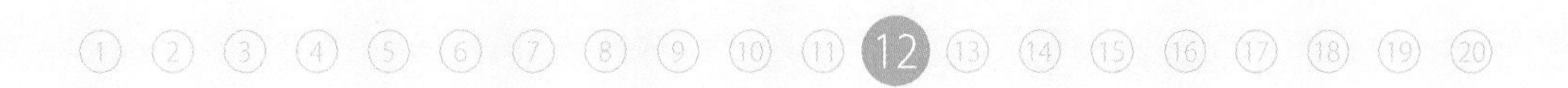

Exercises / 练习 100%

1/ Substitution drills.

Wǒ dǎsuàn xiàbān hòu qù chànggē.
a/ 我 打算 下班 后 去 唱歌 。

Nǐ gēn wǒmen yìqǐ zǒuzou ba!
b/ 你 跟 我们 一起 走走 吧！

chànggē 唱歌	chīfàn 吃饭	lǚyóu 旅游

Nín shì wǒmen zuì zhòngyào de kèhù.
c/ 您 是 我们 最 重要 的 客户。

您	我们	重要	客户
zuótiān 昨天	zhège yuè 这个 月	lěng 冷	yì tiān 一 天
zhè 这	wǒ 我	xǐhuan 喜欢	kāfēi 咖啡
nà 那	wǒmen gōngsī 我们 公司	hǎo 好	bàngōngshì 办公室

2/ Complete the following dialogue using the words you have learned.

dǎsuàn 打算	yuànyì 愿意	háishi 还是

a / Miss Zhang needs to buy a computer for the company and she wants Mr Li to go with her.

Nǐ jīntiān yǒu shénme ānpái ma?
你 今天 有 什么 安排 吗？

Zěnme le?
怎么 了？

nǐ kěyǐ hé wǒ yìqǐ qù ma?
… ，你 可以 和 我 一起 去 吗？

Hǎo de,
好 的，… ？

Wǒmen qù Běijīng Shāngchǎng ba.
我们 去 北京 商场 吧。

… ？

Sān diǎn ba.
三 点 吧。

… 。

Hǎo de, liǎng diǎn jiàn!
好 的， 两 点 见！

b / Mr Wang wants to schedule a time and place for a meeting with Mr Gao.

Xià gè xīngqī nín yǒu shénme ānpái?
下 个 星期 您 有 什么 安排？

… 。

… ？

Kěyǐ.
可以。

… ？

… ？

… 。

Xíng, xīngqīsì zài wǒmen gōngsī kāihuì.
行，星期四 在 我们 公司 开会。

3/ What is the best way to arrange your manager's schedule of this week? Try to use the words and sentence patterns you have learned.

Time	Place	
Monday 9:00-10:30	company	meeting
Tuesday 14:00	company	meeting

New appointments:

(1) Business trip: will come back next Monday

(2) Visiting the CTI company

(3) Treating Mr Gao to dinner

4/ Find out who your most important client is. Discuss why using the words and sentence patterns you have learned.

...

5/ How do you deal with your most important client? Talk about your experience using the words and sentence patterns you have learned.

...

6/ Introduce a recent plan or schedule using the words and sentence patterns you have learned.

...

13

wǒ de jìhuà
我的计划
[My plan]

Dialogues / 对话

1

Jīnglǐ, zhè shì wǒ míngnián de gōngzuò jìhuà.
经理，这是我明年的工作计划。
Qǐng nín kàn yíxià.
请您看一下。
[Manager, here is my work plan for the next year. Please take a look.]

[n.] 计划 | plan

Hǎo de, wǒ yíhuìr kàn.
好的，我一会儿看。
[Okay, I will read it later.]

Xièxie nín.
谢谢您。
[Thank you.]

2

Xiǎo Wáng, wǒ kànle nǐ de gōngzuò jìhuà.
小王，我看了你的工作计划。
[XiaoWang, I have read your work plan.]

Jīnglǐ, yǒu shénme wèntí ma?
经理，有什么问题吗？
[Manager, do you have any questions?]

[n.] 去年 | last year

[n.] 产品 | product

Wǒmen gōngsī qùnián yǒu shí gè xīn chǎnpǐn,
我们公司去年有十个新产品，
jīnnián yǒu shíwǔ gè, míngnián zhǐ yǒu bā gè?
今年有十五个，明年只有八个？
[Our company had ten new products last year, fifteen products this year, but will only have eight products next year?]

Duì, jīnglǐ, jīnnián zuò de tài duō le.
对，经理，今年做得太多了。
[Yes, manager, we have made too many this year.]

Wǒ juéde tài shǎo, míngnián kěyǐ zuò shí gè
我 觉得 太 少 ， 明年 可以 做 十 个
xīn chǎnpǐn ma?
新 产品 吗？
[I think there are too few. Can we make ten products next year?]

Qǐng ràng wǒ xiǎngxiang.
请 让 我 想想 。
[Let me give it some thought.]

觉得 [v.] | feel; think

少 [adj.] | not much; not many

想 [v.] | think; think about; think of; think over

3

Jīnnián hái yǒu jìhuà qù lǚyóu ma?
今年 还 有 计划 去 旅游 吗？
[Do you still have plans to travel this year?]

Yǒu, qùnián qiūtiān qùle Hánguó,
有 ， 去年 秋天 去了 韩国 ，
jīnnián jìhuà qù Rìběn.
今年 计划 去 日本 。
[Yes, I do. I went to Korea in the autumn of last year and I plan to go to Japan this year.]

Shénme shíhou qù?
什么 时候 去？
[When will you go?]

Wǒ dǎsuàn dōngtiān qù.
我 打算 冬天 去。
[I am planning to go in the winter.]

秋天 [n.] | autumn

计划 [v.] | plan to do sth

冬天 [n.] | winter

4

Zhè shì wǒ de jìhuà, nǐ juéde zěnmeyàng?
这 是 我 的 计划，你 觉得 怎么样 ？
[This is my plan. What do you think?]

Nǐ xiān qù Rìběn, ránhòu qù Hánguó?
你 先 去 日本， 然后 去 韩国 ？
[You're going to Japan first, and then to Korea?]

Duì, zhèyàng fēijīpiào zuì piányi.
对 ， 这样 飞机票 最 便宜 。
[Yes, that is the cheapest way.]

Rúguǒ xiān qù Hánguó, yào yíwàn sānqiān kuài,
如果 先 去 韩国 ， 要 一万 三千 块 ，
[If I go to Korea first it will cost ¥13,000,

万 [num.] | ten thousand

千 [num.] | thousand

dànshì rúguǒ xiān qù Rìběn, zhǐ yào bāqiān kuài.
但是 如果 先 去 日本，只 要 八千 块。
but if I go to Japan first it will cost only ¥8,000.]

Zhēn piányi!
真 便宜！
[That is really cheap!]

5

Xiǎo Gāo, wǒmen míngnián zuò shí gè xīn chǎnpǐn,
小 高，我们 明年 做 十 个 新 产品，
zěnmeyàng?
怎么样？
[Xiao Gao, how about we make ten new products next year?]

Shí gè tài duō le, wǒmen de jìhuà li bú shì bā gè ma?
十 个 太 多 了，我们 的 计划 里 不 是 八 个 吗？
[Ten is too much. Wasn't our plan to have eight products?]

Jīnglǐ juéde shǎo le.
经理 觉得 少 了。
[The manager thinks it is too few.]

Dànshì rúguǒ zuò shí gè,
但是 如果 做 十 个，
wǒmen jiù tài máng le.
我们 就 太 忙 了。
[But if we make ten products, we will be very busy.]

Wǒ zài hé jīnglǐ shuōshuo ba.
我 再 和 经理 说说 吧。
[I will talk with the manager again.]

Passage / 短文

50%

Wǒ míngnián de jìhuà shì: yīyuè dào qīyuè qù Zhōngguó
我 明年 的 计划 是：一月 到 七月 去 中国
xuéxí Hànyǔ, xuéxí de shíhou měi tiān pǎobù. Ránhòu wǒ yào
学习 汉语，学习 的 时候 每 天 跑步。然后 我 要
huí gōngsī gōngzuò. Shí'èr yuè li méi shénme shìqing, bú tài
回 公司 工作。十二 月 里 没 什么 事情，不 太

máng, kěyǐ xiūxi yíxià. Qùnián wǒ qùle Hánguó, jīnnián qùle
忙，可以休息一下。去年我去了韩国，今年去了
Rìběn, míngnián wǒ jìhuà qù Měiguó lǚyóu. Nǐ juéde zěnmeyàng?
日本，明年我计划去美国旅游。你觉得怎么样？

This is my plan for next year: I am going to go to China to study Chinese from January to July. During this period, I will run every day. After this I will return to my work at the company. In December, I won't have anything to do and I am not so busy so I will rest. I went to Korea last year and went to Japan this year. I am planing to travel to the United States next year. What do you think?

Words and phrases / 词语 75%

jìhuà
计划 / [n.] plan
[v.] plan to do sth.

qùnián
去年 / [n.] last year

chǎnpǐn
产品 / [n.] product

zhǐ
只 / [adv.] only; merely; just

juéde
觉得 / [v.] feel; think

shǎo
少 / [adj.] not much; not many

xiǎng
想 / [v.] think; think about; think of; think over

qiūtiān
秋天 / [n.] autumn

dōngtiān
冬天 / [n.] winter

wàn
万 / [num.] ten thousand

qiān
千 / [num.] thousand

Exercises / 练习 100%

1/ Substitution drills.

Wǒ juéde hěn lèi.
a / 我觉得很累。

tā 他	hěn lěng 很冷
Xiǎo Zhāng 小张	kāfēi hěn hǎo hē 咖啡很好喝
Xiǎo Wáng 小王	zuò dìtiě hěn kuài 坐地铁很快

yí wàn sìqiān
b / 一万四千 = 14,000

liǎng 两	bā 八	28,000
wǔ 五	qī 七	57,000
jiǔ 九	sān 三	93,000

c / Wǒ zhǐ mǎi shuǐguǒ.
我只买水果。

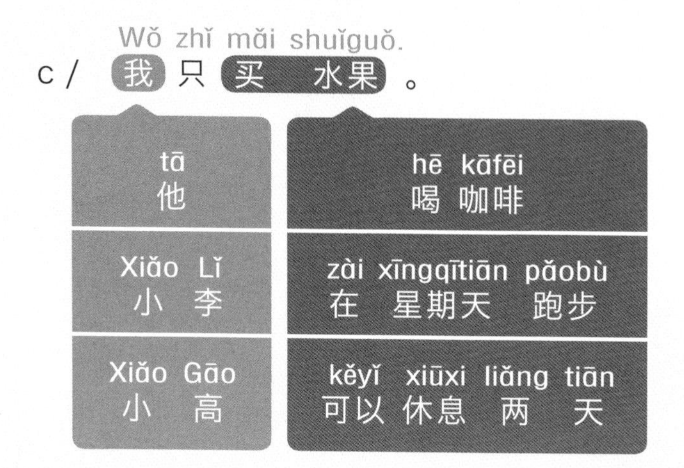

2/ Complete the following dialogues using the words and sentence patterns you have learned.

a / Xiao Wang and Xiao Gao are discussing their holiday plans.

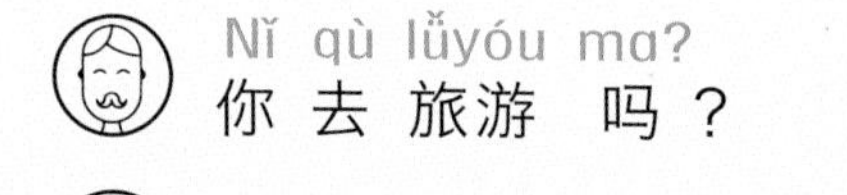

… ，… 。

… 。

… 。

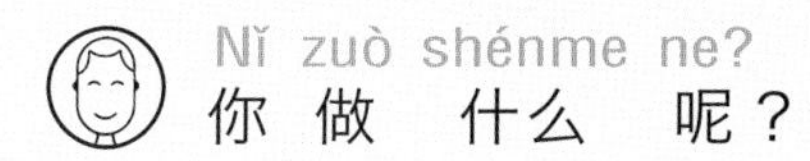

Nǐ zuò shénme ne?
你 做 什么 呢？

Zàijiā, pǎobù, chànggē.
在家， 跑步， 唱歌 。

… 。

b / Mr Gao and Mr Li are talking about their work plans for next month.

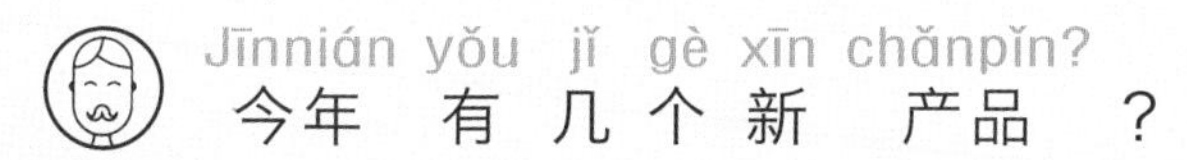

Jīnnián yǒu jǐ gè xīn chǎnpǐn?
今年 有 几 个 新 产品 ？

… 。

Xià gè yuè zuò dì-jǐ gè?
下 个 月 做 第几 个？

… 。

Huì bu huì tài máng le?
会 不 会 太 忙 了？

… 。

Ràng wǒ hǎohǎo xiǎngxiang.
让 我 好好 想想 。

3/ Make a plan for Miss Wang and Mr Smith using the words and sentence patterns you have learned.

(1)Miss Wang wants to lose some weight.

(2)Mr Smith, who is American, wants to travel in China.

4/ Find out what plans your colleagues have and choose your favorite. Talk about it using the words and sentence patterns you have learned.

...

5/ Introduce your plans for next year. Try to use the words and sentence patterns you have learned.

...

6/ Which season do you like best? Talk about why using the words and sentence patterns you have learned.

...

14

tōngzhī

通知

[Notification]

Dialogues / 对话

1

Wáng mìshū, qǐng tōngzhī yíxià Zhāng Yíng,
王 秘书，请 通知 一下 张 迎，
[Secretary Wang, please notify Zhang Ying that

jīntiān xiàwǔ liǎng diǎn zài 320 kāihuì.
今天 下午 两 点 在 320 开会。
a meeting will be held at two o'clock this afternoon in Room 320.]

通知 [v.] | inform; notify; give notice

Hǎo de, Lǐ jīnglǐ.
好 的，李 经理。
[Yes, Manager Li.]

2

Xiǎo Zhāng, kàndào tōngzhī le ma?
小 张，看到 通知 了 吗？
[Xiao Zhang, have you seen the notice?]

通知 [n.] | notice; notification

Shénme tōngzhī?
什么 通知？
[What notice?]

Lǐ Běi xià gè yuè jiù shì wǒmen bùmén de
李 北 下 个 月 就 是 我们 部门 的

xīn jīnglǐ le.
新 经理 了。
[Li Bei will be the new manager of our department next month.]

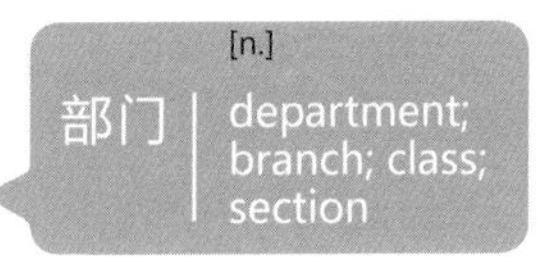

Zhēn de ma? Wǒ qù kànkan.
真 的 吗？我 去 看看。
[Really? I will go to take a look.]

3

Nín hǎo, shì Zhāng Míng xiānsheng ma?
您 好，是 张 明 先生 吗？
[Hello, is this Mr Zhang Ming?]

Shì de, nín shì nǎ wèi?
是 的，您 是 哪 位？
[Yes, who is calling please?]

Wǒ shì CTI Gōngsī de Wáng Yíng, tōngzhī nín yíxià,
我 是 CTI 公司 的 王 迎，通知 您 一下，
qǐng xià zhōuyī dào wǒmen gōngsī lái shàngbān.
请 下 周一 到 我们 公司 来 上班。
[I am Wang Ying from the CTI company. I'd like to ask you to come to our company to work next Monday.]

Tài hǎo le, xièxie nín.
太 好 了，谢谢 您。
[That's great. Thank you.]

Zhōuyī jiàn.
周一 见。
[See you on Monday.]

Zàijiàn.
再见。
[Goodbye.]

4

Nín hǎo, qǐngwèn shì Wáng Huān xiǎojiě ma?
您 好，请问 是 王 欢 小姐 吗？
[Hello, is this Miss Wang Huan?]

Shì de, nín shì nǎ wèi?
是 的，您 是 哪 位？
[Yes, who is calling please?]

Zhèlǐ shì jīchǎng, tōngzhī nín yíxià,
这里 是 机场，通知 您 一下，
[This is the airport. We want to inform you that
nín de xínglixiāng yǐjīng zhǎodào le.
您 的 行李箱 已经 找到 了。
we have found your suitcase.]

行李箱 [n.] trunk; baggage

Zhēn de ma? Tài hǎo le, wǒ xiànzài kěyǐ qù qǔ ma?
真 的 吗？太 好 了，我 现在 可以 去 取 吗？
[Really? That's great. Can I come to get it right now?]

取 [v.] take; get

Kěyǐ, wǒmen de bàngōngshì zài2 hào lóu 1103.
可以，我们的办公室在2号楼1103。
[Yes you can. Our office is in Room 1103 in Building 2.]

Hǎo de, xièxie.
好的，谢谢。
[Great. Thanks.]

5

Wáng mìshū, nín hǎo,
王秘书，您好，
wǒmen shì sān diǎn kāihuì ma?
我们是三点开会吗？
[Secretary Wang, hello, are we having a meeting at three?]

Lǐ jīnglǐ, nín hǎo, nín méiyǒu jiēdào tōngzhī ma?
李经理，您好，您没有接到通知吗？
[Manager Li, hello, haven't you received the notice?]

Tōngzhī? shénme tōngzhī?
通知？什么通知？
[Notice? What notice?]

Huìyì ānpái dào míngtiān shàngwǔ le.
会议安排到明天上午了。
[The meeting has been rescheduled for tomorrow morning.]

Zhēn bàoqiàn, wǒ wàngjì le,
真抱歉，我忘记了，
míngtiān jiàn.
明天见。
[I am really sorry that I forgot. See you tomorrow.]

忘记 [v.] forget; go out of one's mind

Míngtiān jiàn.
明天见。
[See you tomorrow.]

ān pái .... plan

Passage / 短文

50%

Zhāng mìshū, qǐng nǐ xiě liǎng
张 秘书，请 你 写 两
gè tōngzhī. Dì-yī gè tōngzhī shì fàngjià
个 通知。第一 个 通知 是 放假
tōngzhī, wǒmen 10 yuè 1 hào dào 10
通知，我们 10月1号 到 10
yuè 7 hào fàngjià, tōngzhī yíxià. Dì-èr
月 7 号 放假，通知 一下。第二
gè tōngzhī shì guānyú yuángōng dàhuì
个 通知 是 关于 员工 大会
de, měi wèi yuángōng dōu yào cānjiā.
的，每 位 员工 都 要 参加。
Huìyì ānpái zài xià zhōuwǔ, 9 yuè 15
会议 安排 在 下 周五，9 月 15
hào, zài liù céng de huìyìshì, yídìng
号，在 六 层 的 会议室，一定
yào tōngzhī dào měi wèi yuángōng.
要 通知 到 每 位 员工。

[v.]
放假 | have a holiday or vacation; have a day off

Secretary Zhang, please write two notices.The first one is the holiday notice, our company on vacation from October 1st to October 7th. Please notify everybody. The second is in regards to the staff meeting. Every staff member has to attend it. The meeting is scheduled for next Friday, September 15th in the meeting room on the 6th floor. Please be sure to notify every staff member.

Words and phrases / 词语

tōngzhī
通知 / [v.] inform; notify; give notice
[n.] notice; notification

bùmén
部门 / [n.] department; branch; class; section

xínglixiāng
行李箱 / [n.] trunk; baggage, suitcase

qǔ
取 / [v.] take; get; fetch (something)

wàngjì
忘记 / [v.] forget; go out of one's mind

fàngjià
放假 / [v.] have a holiday or vacation; have a day off

guānyú
关于 / [prep.] with regard to

yuángōng
员工 / [n.] staff; personnel

cānjiā
参加 / [v.] join; take part in; attend

关于 + N.
e.g. 关于中国，我知道很多。

Exercises / 练习

1/ Substitution drills.

Tāmen zhǎodào wǒ de xínglixiāng le.
a / 他们 找 到 我 的 行李箱 了。

Nín méiyǒu jiēdào wǒmen de tōngzhī ma?
b / 您 没有 接到 我们 的 通知 吗？

2/ Complete the following dialogues using the words and sentence patterns you have learned.

a / Mr Gao tells his secretary, Miss Li, that he can not attend the meeting on Wednesday afternoon.

Lǐ mìshū,
李 秘书，… 。

Nín shuō de shì xīngqīsān xiàwǔ de huìyì ma?
您 说 的 是 星期三 下午 的 会议 吗？

Shì de,
是 的，… ？

Kěyǐ, xīngqīsì shàngwǔ jiǔ diǎn ma?
可以，星期四 上午 九 点 吗？

Xíng,
行，… 。

Hǎo de, wǒ tōngzhī CTI Gōngsī de Zhāng jīnglǐ.
好 的，我 通知 CTI 公司 的 张 经理。

b / Miss Li lost her passport last week. Today she receives a phone call from the police.

Nín hǎo, qǐngwèn nín shì Lǐ Dōng xiǎojiě ma?
您 好，请问 您 是 李 东 小姐 吗？

Shì de,
是 的，… ？

Wǒ shì Sānyuánqiáo Pàichūsuǒ de mínjǐng,
我 是 三元桥 派出所 的 民警，

wǒ jiào Wáng Xīng.
我 叫 王 兴。… ？

Shìde.
是的。

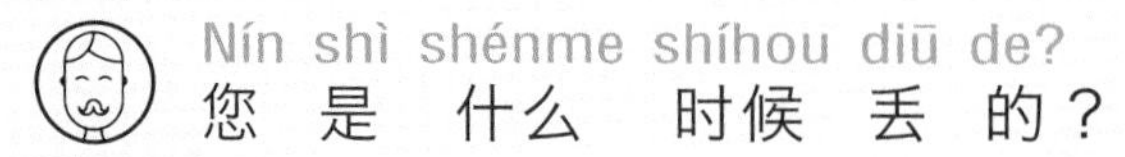

Nín shì shénme shíhou diū de?
您 是 什么 时候 丢 的？

… 。

Nín zuò chūzūchē de shíhou wàng zài chūzūchē shang le.
您 坐 出租车 的 时候 忘 在 出租车 上 了。

… ？

Kěyǐ,
可以，… 。

Tài gǎnxiè le.
太 感谢 了。

3/ Here is a notice. Please write it in Chinese. Talk about it using the words and sentence patterns you have learned.

NOTIFICATION

This is to notify you that an employee meeting of the whole company will be held in Meeting Room 1134 on April 15th.

通知

March 20, 2015

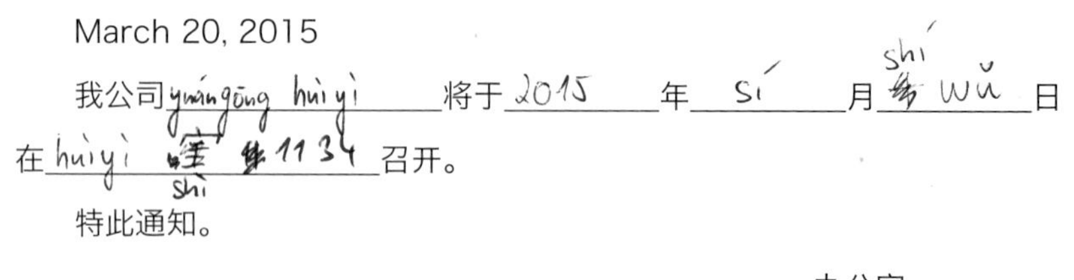

我公司______将于______年______月______日

在______召开。

特此通知。

办公室

____年____月____日

4/ What kinds of notification do your colleagues receive at work? Select an example and discuss using the words and sentence patterns you have learned.

...

5/ What kind of notifications do you most want at work? Talk about this using the words and sentence patterns you have learned.

...

15

huānyíng guānglín

欢迎 光临

[Welcome]

Dialogues / 对话

1

Huānyíng guānglín!
欢迎 光临 ！
[Welcome!]

[v.] 光临 | welcome

Xiānsheng, nín jǐ wèi?
先生 ，您 几 位 ？
[Table for how many people, sir?]

Liǎng wèi.
两 位 。
[Two.]

Qǐng gēn wǒ lái.
请 跟 我 来。
[Please follow me.]

2

Huānyíng guānglín!
欢迎 光临 ！
[Welcome!]

Nǐ hǎo! zhèlǐ kě yǐ fù yìn wénjiàn ma?
你 好！ 这里 可以 复印 文 件 吗？
[Hello, do you copy documents here?]

[v.] 复印 | copy; reproduce on a copying machine

Kěyǐ, xiānsheng, nín yào fù yìn shénme?
可以， 先生 ，您 要 复印 什么 ？
[Of course, sir. What would you like to copy?]

Zhèxiē wénjiàn, měi zhāng fùyìn 10 fèn.
这些 文件 ，每 张 复印 10 份。
[Please make 10 copies of each of these documents.]

[mw.] 份 | a copy of; part; portion

Hǎo, nín yào děng 15 fēnzhōng.
好，您要等15分钟。
[I understand. They will be ready in 15 minutes.]

Hǎo de.
好的。
[Okay.]

3

Huānyíng guānglín!
欢迎光临！
[Welcome!]

Nín hǎo, wǒ yào mǎi yí jiàn báisè de chènshān.
您好，我要买一件白色的衬衫。
[Hello, I would like to buy a white shirt.]

Zhè jiàn zěnmeyàng?
这件怎么样？
[How about this one?]

Wǒ xiǎng shì yi shì.
我想试一试。
[I would like to try it on.]

Bú dà bù xiǎo, hěn héshì.
不大不小，很合适。
[It is just the right size and suits you very well.]

Zhè jiàn chènshān xiànzài dǎ wǔ zhé,
这件衬衫现在打五折，
zhǐyào yìbǎi kuài.
只要一百块。
[This shirt is on sale. It is only ¥100.]

Tǐng piányi de, zài nǎr fùkuǎn?
挺便宜的，在哪儿付款？
[It is really cheap. Where shall I pay for it?]

Zhèbian qǐng.
这边请。
[This way please.]

[mw.] 件 | used for clothes and things

[n.] 衬衫 | shirt

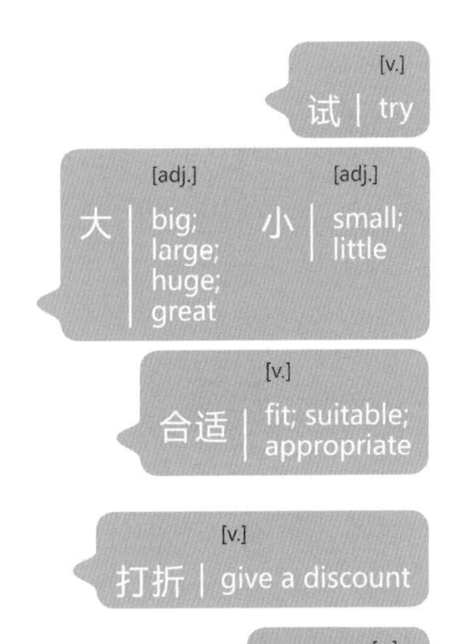

[v.] 付款 | pay

4

Huānyíng guānglín!
欢迎 光临 ！
[Welcome!]

Xièxie.
谢谢 。
[Thanks.]

Zhè biān shì diànshì, zhàoxiàngjī zài nà biān.
这 边 是 电视 ， 照相机 在 那 边 。
[The TVs are over here, the cameras are over there.]

Nǐmen zhèr yǒu kěyǐ zhíjiē dǎyìn zhàopiàn de zhàoxiàngjī ma?
你们 这儿 有 可以 直接 打印 照片 的 照相机 吗 ？
[Do you have the camera that can print pictures directly?]

Hěn bàoqiàn, méiyǒu.
很 抱歉 ， 没有 。
[Sorry, we don't.]

Nà wǒ zài kànkan ba.
那 我 再 看看 吧。
[Then I think I might just keep on looking.]

[n.] 电视 | TV

[n.] 照相机 | camera

[adj.] 直接 | direct; immediate

[n.] 照片 | photo

5

Huānyíng guānglín!
欢迎 光临 ！
[Welcome!]

Wǒ xiǎng qù Hánguó wánr, xiànzài qù héshì ma?
我 想 去 韩国 玩儿， 现在 去 合适 吗 ？
[I want to take a trip to Korea. Is this a good time now?]

Héshì, xiànzài Hánguó shì qiūtiān, fēicháng piàoliang.
合适 ， 现在 韩国 是 秋天 ， 非常 漂亮 。
[Sure it is. It is autumn in Korea. It is very beautiful.]

Nǐmen xiànzài yǒu shénme yōuhuì ma?
你们 现在 有 什么 优惠 吗 ？
[Do you have any deals right now?]

[adj.] 优惠 | preferential; favorable

Yǒu, nín kànkan zhège, xiànzài dǎ liù zhé,
有 ， 您 看看 这个， 现在 打 六 折 ，

zhǐyào bāqiān yuán.
只要 八千 元。
[Yes, have a look at this. It has a discount of 40%. It is only ¥8,000.]

Tǐng hǎo de, zài nǎr fùkuǎn?
挺 好 的，在 哪儿 付款？
[Good, where shall I pay for it?]

Zhè bian qǐng.
这 边 请。
[This way please.]

Passage / 短文

Huānyíng guānglín běn diàn, běn
欢迎 光临 本 店，本
zhōu yōuhuì duōduō. Xīngqīyī shuǐguǒ wǔ
周 优惠 多多。星期一 水果 五
zhé, xīngqī'èr diànshì liù zhé, xīngqīsān
折，星期二 电视 六 折，星期三
zhàoxiàngjī qī zhé, xīngqīsì kōngtiáo bā
照相机 七 折，星期四 空调 八
zhé, xīngqīwǔ chá jiǔ zhé, xīngqīliù kāfēi
折，星期五 茶 九 折，星期六 咖啡
mǎi yī sòng yī. Xǐhuan nín lái, huānyíng
买 一 送 一。喜欢 您 来， 欢迎
nín lái.
您 来。

Welcome to our store. We have a lot of deals this week. On Monday fruit is 50% off. On Tuesday TVs are 40% off. On Wednesday cameras are 30% off. On Thursday air-conditioners are 20% off. On Friday tea is 10% off and on Saturday we have a coffee buy one get one free deal. We welcome you to come and see us.

> 本 [pron.] one's own; native; this

> 本 [pron.] present; current

Words and phrases / 词语

guānglín
光临 / [v.] welcome

fùyìn
复印 / [n.] copy; reproduce on a copying machine

jiàn
件 / [mw.] *used for clothes and things*

shì
试 / [v.] try

xiǎo
小 / [adj.] small; little

dǎzhé
打折 / [v.] give a discount

diànshì
电视 / [n.] TV

zhíjiē
直接 / [adj.] direct; immediate

yōuhuì
优惠 / [adj.] preferential; favorable

gēn
跟 / [v.] follow

fèn
份 / [mw.] a copy of; part; portion

chènshān
衬衫 / [n.] shirt

dà
大 / [adj.] big; large; huge; great

héshì
合适 / [adj.] fit; suitable; appropriate

fùkuǎn
付款 / [v.] pay

zhàoxiàngjī
照相机 / [n.] camera

zhàopiàn
照片 / [n.] photo

běn
本 / [pron.] one's own; native; this
[pron.] present; current

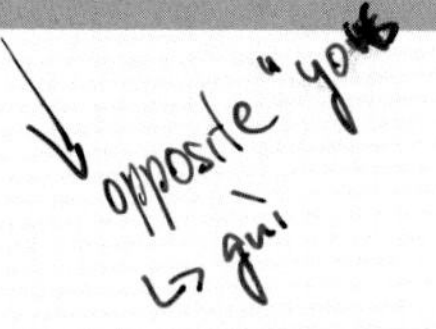

Exercises / 练习 100%

1/ Substitution drills.

bĕn diàn
a/ 本 店

Shì yi shì.
b/ 试 一 试。

Qǐng dǎyìn zhè fèn wénjiàn.
c/ 请 打印 这 份 文件 。

Wǒ yào mǎi yí jiàn chènshān.
d/ 我 要 买 一 件 衬衫 。

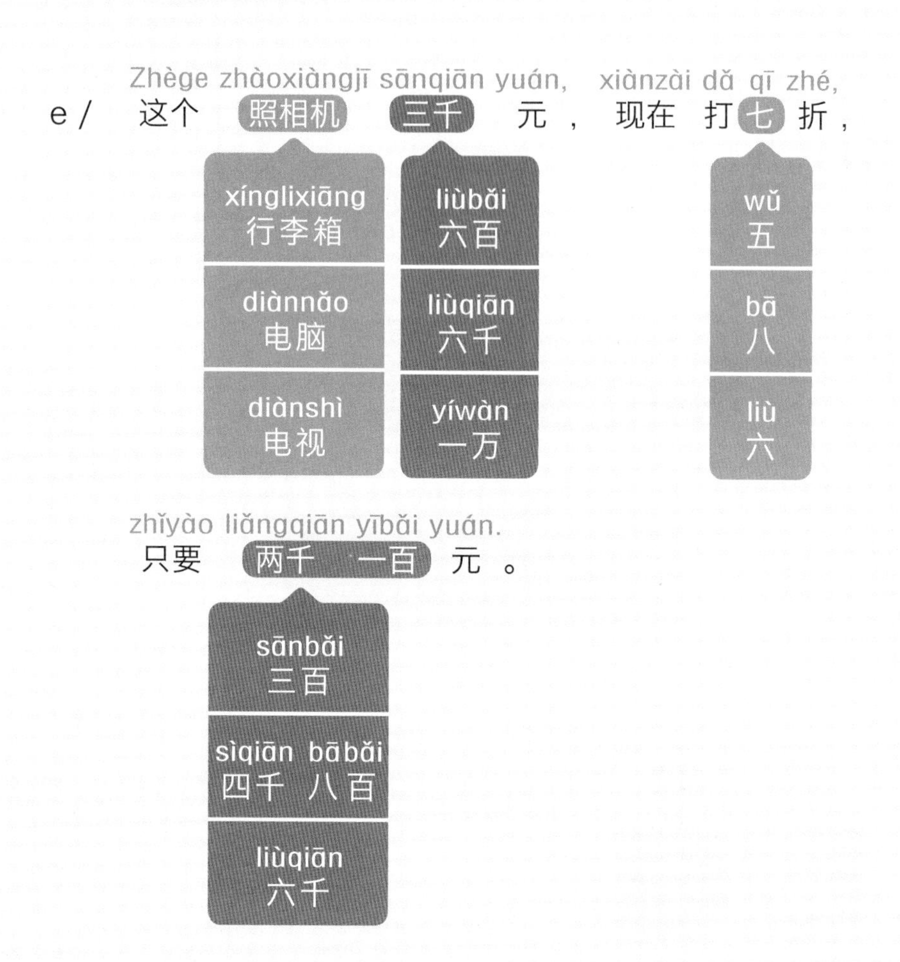

2/ Complete the following dialogues using the sentence patterns you have learned.

huānyíng guānglín. 欢迎 光临。	Zài nǎr fùkuǎn? 在 哪儿 付款？

a / Miss Li wants to wash some clothes, so she goes to a laundry.

… 。

Zhè shì wǒ yào xǐ de.
这是我要洗的。

Hǎo de, sān tiáo kùzi, wǔ jiàn chènshān.
好的，三条裤子，五件衬衫。

… ?

Liǎngbǎi yuán.
两百元。

… ?

Xiànzài dǎ bā zhé,
现在打八折，… 。

… ? … ?

Zài zhèr, nín míngtiān kěyǐ lái qǔ.
在这儿，您明天可以来取。

Xièxie, zàijiàn.
谢谢，再见。

b / Mr Zhang does not feel well and wants to buy some medicine, so he goes to an pharmacy.

… , … ?

Nín hǎo,
您好，… ?

… ?

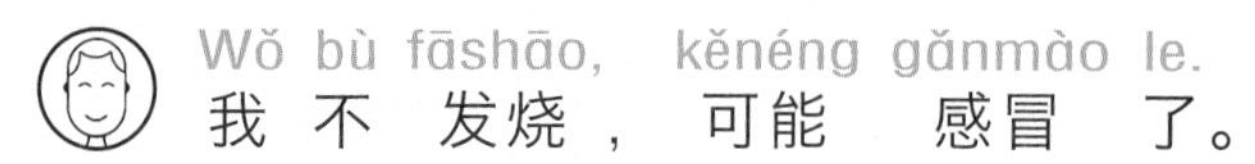

Wǒ bù fāshāo, kěnéng gǎnmào le.
我不发烧，可能感冒了。

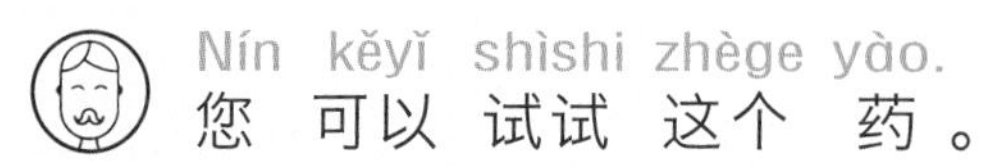

Nín kěyǐ shìshi zhège yào.
您可以试试这个药。

… 。

Sānshí kuài, xiànzài dǎ jiǔ zhé, …
三十块，现在打九折，… 。

… ?

Qǐng gēn wǒ lái, rúguǒ chīle yào háishi méiyǒu hǎo, qǐng nín qù yīyuàn.
请跟我来，如果吃了药还是没有好，请您去医院。

3/ Make broadcasts for your store using the words and sentence patterns you have learned.

…

...

3~8折
西装6折
衬衣3折
领带8折

...

4/ Find out which stores your colleagues like and choose a favorite one. Talk about it using the words and sentence patterns you have learned.

...

5/ How would you welcome guests to your company? Discuss using words and sentence patterns you have learned.

...

6/ Do you prefer to buy things in a store or online? Talk about your preference using the words and sentence patterns you have learned.

...

16

qǐng pài rén lái xiūlǐ yíxià
请派人来修理一下
[Please send someone to fix it]

Dialogues / 对话

1

Nín hǎo, shì Xiǎo Wáng ma?
您好，是小王吗？
[Hello, is this Xiao Wang?]

Shì de, nín shì zhāng mìshū?
是的，您是张秘书？
[Yes, it is. Is that Secretary Zhang?]

Shì, wǒ de diànnǎo huài le,
是，我的电脑坏了，
qǐng pài rén lái xiūlǐ yíxià.
请派人来修理一下。
[Yes. My computer is broken.
Can you send someone to repair it.]

Hǎo de, wǒ mǎshàng lái.
好的，我马上来。
[Okay, I will be there right away.]

坏 | [adj.] bad

派 | [v.] send
修理 | [v.] fix; mend; repair

马上 | [adv.] immediately; at once

2

Nín de diànnǎo zěnme le?
您的电脑怎么了？
[What's wrong with your computer?]

Bù néng dǎyìn le.
不能打印了。
[It doesn't work.]

Wǒ lái jiǎnchá yíxià.
我来检查一下。
[Let me take a look at it.]

Máfan nǐ le.
麻烦你了。
[Thanks for your troubles.]

检查 | [v.] check; inspect; take a look

麻烦 | [v.] bother

(shí fēnzhōng hòu...)
（十 分钟 后 ……）
(After ten minutes...)

Xiūhǎo le, nín shì yíxià.
修好 了，您 试 一下。
[It is fixed. Give it a try.]

Tài hǎo le, xièxie nǐ.
太 好 了，谢谢 你。
[That's great. Thank you.]

Rúguǒ yǒu wèntí, zài gěi wǒ dǎ diànhuà.
如果 有 问题，再 给 我 打 电话 。
[If there is any more trouble, give me a call.]

3

Nín hǎo, shì Lǐ xiānsheng ma?
您 好，是 李 先生 吗？
[Hello, is that Mr Li?]

Shì de, nín shì...
是 的，您 是……
[Yes, it is. Who is it?]

Wǒ shì CTI Gōngsī de Wang Huan.
我 是CTI 公司 的 王 欢 。
Wǒmen gōngsī de kōngtiáo huài le,
我们 公司 的 空调 坏 了，
qǐng pài rén lái xiūlǐ yíxià.
请 派 人 来 修理 一下。
[It is Wang Huan from the CTI company.
Our company's air-conditioner is broken.
Please send someone to fix it.]

[n.]
空调 | air-conditioner

Hǎo de, wǒ mǎshàng pài rén qù.
好 的，我 马上 派 人 去。
[Alright, we'll send someone over right now.]

4

Nín hǎo, nín zhèr de kōngtiáo huàile ma?
您 好，您 这儿 的 空调 坏了 吗？
[Hello, is your air-conditioner broken?]

Shì de.
是 的。
[Yes, it is.]

Wǒ lái jiǎnchá yíxià.
我 来 检查 一下。
[Let me take a look at it.]

Hǎo de, qǐng jìn.
好 的，请 进。
[Okay, come in please.]

5

Nín hǎo, yǐjīng xiū lǐ hǎo le. Qǐng nín jiǎnchá yíxià.
您 好，已经 修理 好 了。请 您 检查 一下。
[Hello, it has already been fixed. Please check it.]

Hǎode, méiwèntí le, xièxie.
好的，没问题 了，谢谢。
[Yes, there are no problems now. Thanks.]

Qǐng nín zài zhèr qiān yíxià nín de míngzi.
请 您 在 这儿 签 一下 您 的 名字。
[Please sign your name here.]

签 [v.] | sign (one's own name)

名字 [n.] | name; title

Hǎo de, gěi nín.
好 的，给 您。
[Here you go.]

Rúguǒ zài yǒu wèntí, qǐng gěi wǒmen dǎ diànhuà.
如果 再 有 问题，请 给 我们 打 电话。
[If there is any more trouble, please call us.]

Xièxie, zàijiàn.
谢谢，再见。
[Thank you. Goodbye.]

Passage / 短文

50%

Wáng mìshū, wǒ míngtiān qù chūchāi, wénjiàn zài zhuōzi shàng, wǒ yǐjīng qiān le. Wǒ bàngōngshì de kōngtiáo huài le, bàngōngshì li hěn rè, qǐng pài rén lái xiūlǐ yíxià. Wǒ de diànnǎo yě yǒu wèntí, bù néng dǎyìn, yě qǐng pài rén lái xiūlǐ yíxià.

王秘书，我明天去出差，文件在桌子上，我已经签了。我办公室的空调坏了，办公室里很热，请派人来修理一下。我的电脑也有问题，不能打印，也请派人来修理一下。

Secretary Wang, I am going on a business trip tomorrow. So I have already signed the documents on the table. The air-conditioner in my office is broken and it is hot in the office. Please send someone to fix it. My computer also has some problems. It can not print. Please send someone to repair it as well.

Words and phrases / 词语

75%

huài
坏 / [adj.] bad

pài
派 / [v.] send

xiūlǐ
修理 / [v.] fix; mend; repair

mǎshàng
马上 / [adv.] immediately; at once

jiǎnchá
检查 / [v.] check; inspect; take a look

máfan
麻烦 / [v.] bother

kōngtiáo
空调 / [n.] air-conditioner

qiān
签 / [v.] sign (one's own name)

míngzi
名字 / [n.] name; title

Exercises / 练习

1/ Substitution drills.

a/ Kōngtiáo huài le.
空调 坏 了。

diànshì 电视	dǎyìnjī 打印机	diànnǎo 电脑

b/ Kōngtiáo xiūhǎo le.
空调 修好 了。

zhàoxiàngjī 照相机	yǎnjìng 眼镜	diàntī 电梯

c/ Wǒ mǎshàng lái
我 马上 来。

我	来
tā 他	qù 去
tā 她	zǒu 走

d/ Qǐng pài rén lái xiūlǐ yíxià.
请 派 人 来 修理 一下。

人	来	修理	一下
Wáng jīnglǐ 王 经理	Wáng huān 王 欢	qù jīchǎng 去 机场	jiē Lǐ jīnglǐ 接 李 经理
Zhāng jīnglǐ 张 经理	tā 他	lái wǒmen gōngsī 来 我们 公司	sòng wénjiàn 送 文件
Lǐ jīnglǐ 李 经理	Zhāng Yíng 张 迎	qù Hánguó 去 韩国	chūchāi 出差

2/ Complete the following dialogues using the words and sentence patterns you have learned.

xiūlǐ 修理	pài 派

a / Mr Gao will go on a business trip tomorrow, so he has asked his secretary, Miss Zhang, to have his air-conditioner and his computer repaired.

Zhāng mìshū, wǒ míngtiān chūchāi.
张秘书，我明天出差。

Hǎo de, jīnglǐ.
好的，经理。

... bàngōngshì li tài lěng.
...，办公室里太冷。

...
...。

... bù néng dǎyìn wénjiàn.
...，不能打印文件。

...
...。

Xièxie, máfan nǐ le.
谢谢，麻烦你了。

b / The elevator has been broken for over a day, and the repairman has not arrived. Miss Li calls the elevator company and Mr Wang answers the phone.

Nínhǎo, Běijīng Měigāo Diàntī Gōngsī.
您好，北京 美高 电梯 公司。

Nín hǎo,
您 好，… 。

Nín shì Lǐ xiǎojiě ma?
您 是 李 小姐 吗？

Shì de.
是 的。

Hěn bàoqiàn, Lǐ xiǎojiě,
很 抱歉，李 小姐，… 。

hǎo de,
好 的，… 。

3/ Your friends have several things broken. Advise them on how they can have them repaired. Try to use the words and sentence patterns you have learned.

…

4/ Have your colleagues ever had something repaired? Listen to their story and select your favorite one. Talk about your choice and try to use the words and sentence patterns you have learned.

...

5/ Have you ever had something repaired? Tell your repairing story using the words and sentence patterns you have learned.

...

17

wǒ de gōngzuò
我的工作
[My job]

Dialogues / 对话

1

Nín shì zuò shénme gōngzuò de?
您是做什么工作的？
[What is your job?]

[v.] 做 | be; become; to do

Wǒ zài yīyuàn gōngzuò, shì yí gè yīshēng. Nín ne?
我在医院工作，是一个医生。您呢？
[I work in a hospital, and I am a doctor. What about you?]

Wǒ shì yí gè chūzūchē sījī
我是一个出租车司机。
[I am a taxi driver.]

2

Wáng mìshū, wǒ lái gēn nǐ shuōshuo nǐ de gōngzuò.
王秘书，我来跟你说说你的工作。
[Secretary Wang, I need to talk to you about a job you need to do.]

Hǎo de, wǒ yào zuò xiē shénme?
好的，我要做些什么？
[Yes, what should I do?]

Nǐ de gōngzuò zhǔyào shì ānpái Lǐ jīnglǐ de rìchéng.
你的工作主要是安排李经理的日程。
[Your job is mainly to arrange Manager Li's agenda.]

[adj.] 主要 | major; main

Hǎo de, wǒ zhīdào le.
好的，我知道了。
[Alright, I understand.]

Yǒu wèntí ma?
有问题吗？
[Do you have any questions?]

Méi wèntí.
没问题。
[No, I don't.]

3

Gāo xiǎojiě, jīntiān shì nǐ dì–yī tiān shàngbān,
高 小姐，今天 是 你 第一 天 上班，
[Miss Gao, today is your first day,
wǒ lái gēn nǐ shuōshuo nǐ de gōngzuò.
我 来 跟 你 说说 你 的 工作。
and I need to talk to you about a job you need to do.]

Hǎo de, wǒ yào zuò xiē shénme?
好 的，我 要 做 些 什么？
[Yes, what should I do?]

Nǐ de gōngzuò zhǔyào shì jiē diànhuà,
你 的 工作 主要 是 接 电话，
[Your job is mainly to answer the phone,
rúguǒ yào zhǎo de rén búzài,
如果 要 找 的 人 不在，
nǐ yào jìlù liúyán.
你 要 记录 留言。
if the people they are looking for are not in,
you need to take down their messages.]

记录 [v.] write down; take notes; keep the minutes; record

Hǎo de, wǒ zhīdào le.
好 的，我 知道 了。
[Alright, I understand.]

Yǒu wèntí ma?
有 问题 吗？
[Do you have any questions?]

Méi wèntí, wǒ xiān shìshi.
没 问题，我 先 试试。
[No, I will give it a go.]

4

Qián xiānsheng, wǒ lái gēn nǐ shuōshuo nǐ de gōngzuò.
钱 先生，我 来 跟 你 说说 你 的 工作。
[Mr Qian, I need to talk to you about your job.]

Hǎo de, wǒ yào zuò xiē shénme?
好 的，我 要 做 些 什么？
[Yes, what should I do?]

Nǐ de gōngzuò zhǔyào shì jiàn kèhù, xiàng tāmen jièshào
你 的 工作 主要 是 见 客户，向 他们 介绍

wǒmen de chǎnpǐn.
我们 的 产品 。
[Your job is mainly to meet clients, and to introduce our products to them.]

Hǎo de, wǒ zhīdào le.
好 的，我 知道 了。
[Alright, I understand.]

Rúguǒ yǒu wèntí, gěi wǒ dǎ diànhuà.
如果 有 问题，给 我 打 电话 。
[If you have any questions, give me a call.]

Hǎo de, xièxie.
好 的，谢谢。
[Alright, thank you.]

5

Wáng xiānsheng, wǒ lái gēn nǐ shuōshuo nǐ de gōngzuò.
王 先生 ，我 来 跟 你 说说 你 的 工作 。
[Mr Wang, I need to talk to you about a job you need to do.]

Hǎo de, wǒ yào zuò xiē shénme?
好 的，我 要 做 些 什么 ？
[Yes, what should I do?]

Nǐ de gōngzuò zhǔyào shì jiē diànhuà,
你 的 工作 主要 是 接 电话 ，
[Your job is mainly to answer the phone,
tīngting kèhù de yìjiàn hé jiànyì.
听听 客户 的 意见 和 建议。
and listen to clients' comments and suggestions.]

意见 | [n.] view; suggestion; opinion; idea

建议 | [n.] suggestion; advice

Hǎo de, wǒ zhīdào le.
好 的，我 知道 了。
[Alright, I understand.]

Yǒu wèntí ma?
有 问题 吗？
[Do you have any questions?]

Xiànzài méi wèntí, rúguǒ yǒu wèntí, wǒ zài wèn nín.
现在 没 问题，如果 有 问题，我 再 问 您。
[I don't have any questions right now. If I have some, I will ask you.]

Passage / 短文

Wǒ zài CTI Gōngsī gōngzuò, wǒ
我 在 CTI 公司 工作，我
shì yí gè mìshū. Wǒ de gōngzuò zhǔyào
是 一 个 秘书。我 的 工作 主要
shì ānpái jīnglǐ de rìchéng, wǒ yě yào
是 安排 经理 的 日程，我 也 要
jiē diànhuà hé dǎ diànhuà, jìlù liúyán,
接 电话 和 打 电话，记录 留言，
dǎyìn hé fùyìn wénjiàn. Wèishénme wǒ
打印 和 复印 文件。为什么 我
huì kāishǐ xuéxí Hànyǔ ne? Yīnwèi wǒmen
会 开始 学习 汉语 呢？因为 我们
gōngsī yìzhí yǒu hěn duō Zhōngguó de
公司 一直 有 很 多 中国 的
kèhù, suǒyǐ péngyoumen jiànyì wǒ xuéxí
客户，所以 朋友们 建议 我 学习
Hànyǔ. Yīnwèi wǒ huì Hànyǔ, yě huì
汉语。因为 我 会 汉语，也 会
yìdiǎnr Yīngyǔ, suǒyǐ míngnián wǒ huì qù
一点儿 英语，所以 明年 我 会 去
Zhōngguó gōngzuò, wǒ juéde zhè shì yí
中国 工作，我 觉得 这 是 一
gè xīn de kāishǐ.
个 新 的 开始。

I work in the CTI company, and I am a secretary. My job is mainly to arrange the manager's schedule. I also answer the phone and make calls, take down messages, and print and copy the files. Why did I start to learn Chinese? Because our company has many Chinese clients and my friends advised me to study it. Because I am good at Chinese and can speak a little English, I will work in China next year and I think this is a new beginning for me.

Words and phrases / 词语

zuò
做 / [v.] be; become; to do

chūzūchē
出租车 / [n.] taxi

sījī
司机 / [n.] driver

zhǔyào
主要 / [adj.] major; main

jìlù
记录 / [v.] write down; take notes; keep the minutes; record

yìjiàn
意见 / [n.] view; suggestion; opinion; idea

jiànyì
建议 / [n.] suggestion; advice
[v.] suggest; advise

wèi shénme
为 什么 / why

kāishǐ
开始 / [v.] start; begin
[n.] begining

yīnwèi... suǒyǐ...
因为 …… 所以 …… / [conj.] on account of; because of

yìzhí
一直 / [adv.] always; continuously

huì
会 / [v.] be good at; be skillful in
[aux .] can; be capable of

Exercises / 练习

1/ Substitution drills.

Wǒ de gōngzuò zhǔyào shì jiàn kèhù.
a/ 我 的 工作 主要 是 见 客户。

Wǒ lái gēn nín shuōshuo wǒmen gōngsī.
b/ 我 来 跟 您 说说 我们 公司。

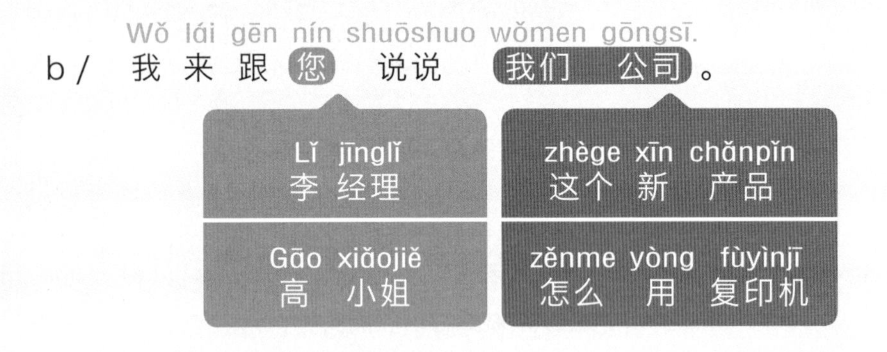

Tā yìzhí xiǎng qù Zhōngguó.
c/ 他 一直 想 去 中国。

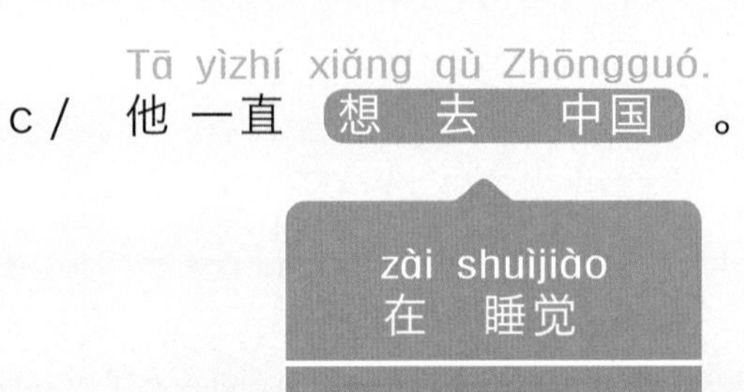

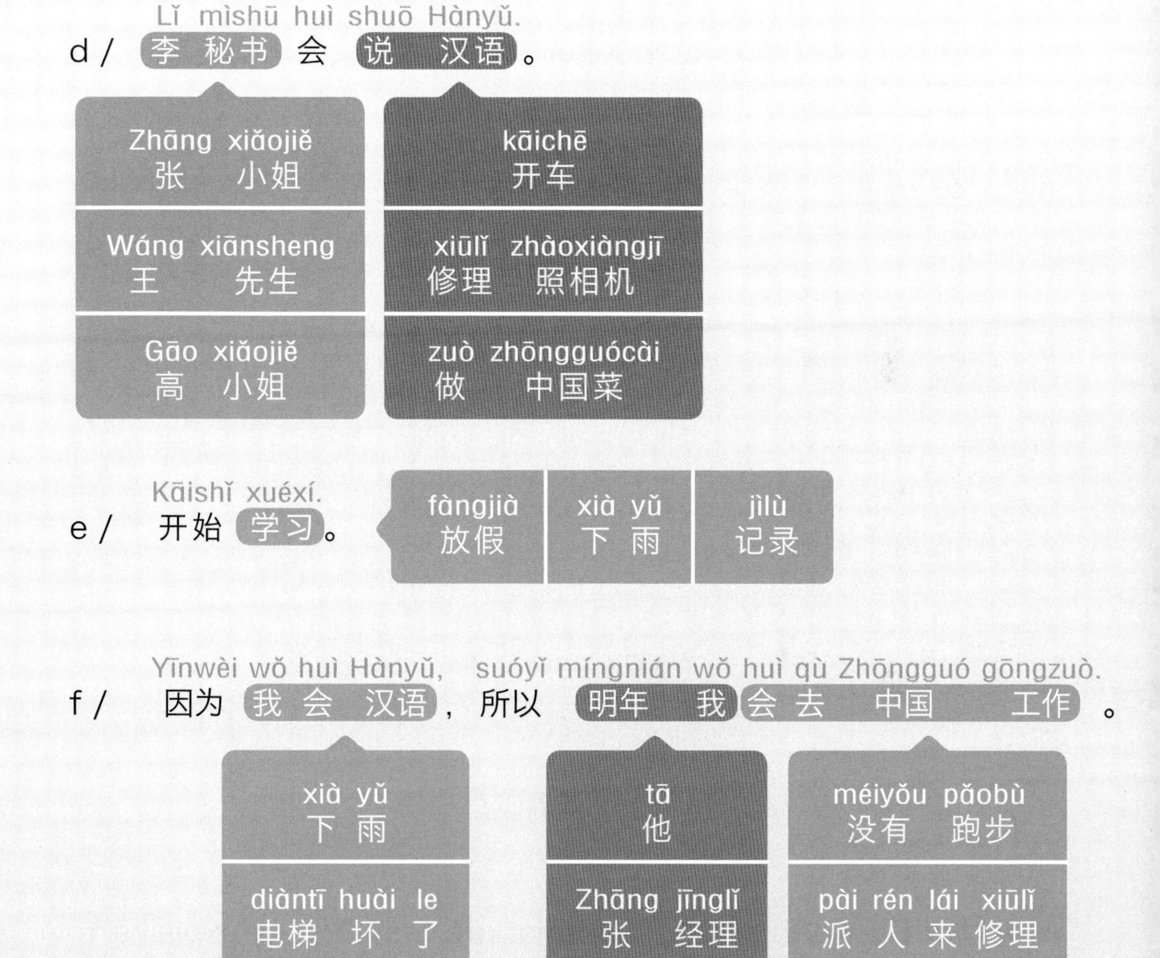

Lǐ mìshū huì shuō Hànyǔ.
d / 李秘书 会 说 汉语。

Zhāng xiǎojiě 张小姐	kāichē 开车
Wáng xiānsheng 王先生	xiūlǐ zhàoxiàngjī 修理照相机
Gāo xiǎojiě 高小姐	zuò zhōngguócài 做中国菜

Kāishǐ xuéxí.
e / 开始 学习。

fàngjià 放假	xià yǔ 下雨	jìlù 记录

Yīnwèi wǒ huì Hànyǔ, suóyǐ míngnián wǒ huì qù Zhōngguó gōngzuò.
f / 因为 我会汉语，所以 明年 我 会去中国工作。

xià yǔ 下雨	tā 他	méiyǒu pǎobù 没有跑步
diàntī huài le 电梯坏了	Zhāng jīnglǐ 张经理	pài rén lái xiūlǐ 派人来修理
shēngbìng le 生病了	Xiǎo Lǐ 小李	xiàbān le 下班了

2/ Complete the following dialogues using the words and sentence patterns you have learned.

zhǔyào 主要	huì 会	yīnwèi ... suǒyǐ ... 因为……所以……	wèishénme 为什么

a / Miss Li works in a shopping mall. Manager Zhou tells her what her new job entails.

Lǐ xiǎojiě, jīntiān shì nǐ dì-yī tiān shàngbān,
李 小姐， 今天 是 你 第一 天 上班，

… 。

Hǎo de nín qǐng shuō.
好 的，您 请 说 。

yǒu wèntí ma?
… ，有 问题 吗？

Méiyǒu wèntí.
没有 问题。

… ？

Wǒ huì.
我 会。

Qǐng nǐ měi tiān pāi xiē zhàopiàn.
请 你 每 天 拍 些 照片 。

b / Mr Gao works in a supermarket. Manager Li explains to him what his job entails.

Gāo xiānsheng, jīntiān shì nǐ dì-yī tiān shàngbān,
高 先生， 今天 是 你 第一 天 上班，

… 。

Hǎo de, nín qǐng shuō.
好 的，您 请 说 。

yǒu wèntí ma?
… ，有 问题 吗？

Méiyǒu wèntí.
没有 问题。

… ?

Bù hǎoyìsi, wǒ bú huì.
不 好意思，我 不 会。

3/ Introduce their work using the words and sentence patterns you have learned.

…

4/ Find out what kinds of work your colleagues do and choose the most interesting one. Talk about why you think it is interesting using the words and sentence patterns you have learned.

…

5/ Introduce your job using the words and sentence patterns you have learned.

...

6/ What are the basic skills a man must have? Talk about your opinion using the words and sentence patterns you have learned.

...

18

zhè shì wǒmen de xīn chǎnpǐn
这是我们的新产品
[This is our new product]

Dialogues / 对话

1

Nín hǎo, zhè shì nǐmen de xīn chǎnpǐn ma?
您好，这是你们的新产品吗？
[Hello, are these your new products?]

Shì de, wǒ lái gěi nín jièshào yíxià ba.
是的，我来给您介绍一下吧。
[Yes they are. Let me introduce them to you.]

[n.] 特点 | characteristic; distinguishing feature

Hǎo de, nǐmen de xīn chǎnpǐn yǒu shénme tèdiǎn?
好的，你们的新产品有什么特点？
[Okay, what are the features of your new products?]

Wǒmen de chǎnpǐn zhìliàng hǎo, jiàgé yě piányi.
我们的产品质量好，价格也便宜。
[Our products are superior in quality and moderate in price.
Zhè shì chǎnpǐn jièshào.
这是产品介绍。
Here's a product introduction.]

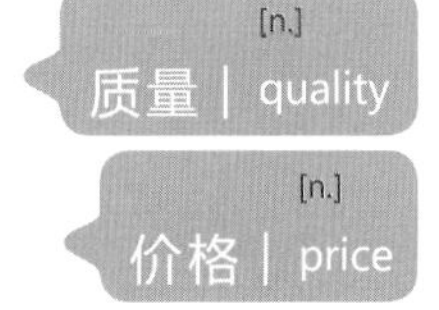

2

Nínhǎo, wǒ shì CTI Gōngsī de Zhāng Jīng.
您好，我是CTI公司的张京。
[Hello, I am Zhang Jing from the CTI company.]

Wáng xiānsheng zài ma?
王先生在吗？
[May I speak to Mr Wang please?]

Wáng xiānsheng bú zài, qǐngwèn nín yǒu shénme shì?
王先生不在，请问您有什么事？
[Mr Wang is not in. May I ask you what it is about?]

Wǒ xiǎng xiàng wáng xiānsheng jièshào yíxià
我想向王先生介绍一下

wǒmen gōngsī de xīn chǎnpǐn.
我们 公司 的 新 产品 。
I would like to introduce our company's new product.

Tā shénme shíhou zài? Wǒ xiǎng zhíjiē hé tā tán yi tán.
他 什么 时候 在？ 我 想 直接 和 他 谈 一 谈。
When will he be available? I would like to speak to him directly.]

Nín kěyǐ jīntiān xiàwǔ shìzhe dǎ yíxià.
您 可以 今天 下午 试着 打 一下。
[You could try ringing this afternoon.]

Xièxie. Zàijiàn!
谢谢 。 再见 ！
[Thank you. Goodbye!]

3

Xīn chǎnpǐn jìnxíng de zěnmeyàng le?
新 产品 进行 得 怎么样 了？
[How's the new product project going?]

[v.] 进行 | execute; carry out

Wǒmen zhèngzài ànzhào jìhuà jìnxíng.
我们 正在 按照 计划 进行 。
[We're right on target.]

[prep.] 按照 | according to

Wánchéng duōshao le?
完成 多少 了？
[How much of the project has been completed?]

[v.] 完成 | accomplish; complete; finish; achieve; fulfill

Wǒmen yǐjīng wánchéng yíbàn le.
我们 已经 完成 一半 了。
[We're halfway there.]

Fēicháng hǎo! Kěyǐ tíqián wánchéng ma?
非常 好 ！可以 提前 完成 吗 ？
[Great! Can we finish the project ahead of schedule?]

[v.] 提前 | in advance; beforehand

Wǒ juéde bú huì tíqián, wǒmen huì àn jìhuà wánchéng.
我 觉得 不 会 提前， 我们 会 按 计划 完成 。
[I don't think it will be completed ahead of time. We will finish it on schedule.]

4

Lǐ mìshū, wǒ dǎsuàn xīngqīsì xiàwǔ kāi gè huì,
李 秘书，我 打算 星期四 下午 开 个 会，
[Secretary Li, I am going to have a meeting in Thursday afternoon.
qǐng nǐ ānpái yíxià.
请 你 安排 一下。
Would you arrange it please?]

Zhège huìyì shì guānyú shénme de?
这个 会议 是 关于 什么 的？
[Can you tell me what this meeting is about?]

Zhège huìyì shì guānyú xīn chǎnpǐn de, fēicháng zhòngyào.
这个 会议 是 关于 新 产品 的，非常 重要。
[It's a very important meeting about the promotion of our new product.]

Nín xiǎng yāoqǐng shéi cānjiā?
您 想 邀请 谁 参加？
[Who would you like me to invite?]

Chǎnpǐn jīnglǐ, háiyǒu CTI Gōngsī de Zhōu xiānsheng,
产品 经理，还有 CTI 公司 的 周 先生，
wǒ xiǎng tīngting tā de yìjiàn hé jiànyì.
我 想 听听 他 的 意见 和 建议。
[The product manager and Mr Zhou from the CTI company.
I would love to hear his comments and suggestions.]

Hái yǒu bié de shì ma?
还 有 别 的 事 吗？
[Anything else?]

Méiyǒu le, jiù zhèxiē.
没有 了，就 这些。
[No. That's all.]

Wǒ mǎshàng qù ānpái.
我 马上 去 安排。
[I'll arrange the meeting immediately.]

5

Zhōu xiānsheng, zhè shì běn gōngsī de xīn chǎnpǐn.
周 先生，这 是 本 公司 的 新 产品。
nín juéde zěnmeyàng?
您 觉得 怎么样？
[Mr Zhou, these are our new products. What do you think?]

Wǒ kànle chǎnpǐn jièshào, zhèxiē chǎnpǐn zhìliàng hǎo,
我 看了 产品 介绍，这些 产品 质量 好，

jiàgé piányi.
价格 便宜。
[I read the brochure and they are superior in quality and moderate in price.]

Nín yǒu shénme yìjiàn hé jiànyì ma?
您 有 什么 意见 和 建议 吗？
[What are your comments and suggestions?]

Zhǐyǒu lǜsè de hé huángsè de, yánsè yǒudiǎnr shǎo.
只有 绿色 的 和 黄色 的，颜色 有点儿 少。
[There are only green ones and blue ones. There are too few colors.]

Nín juéde hái xūyào shénme yánsè?
您 觉得 还 需要 什么 颜色？
[What other colors would you prefer to?]

Wǒ juéde hóngsè de hé lánsè de yě hěn piàoliang.
我 觉得 红色 的 和 蓝色 的 也 很 漂亮。
[I think the red ones and blue ones are also very beautiful.]

Passage / 短文

50%

Wáng xiānsheng, hěn gāoxìng néng xiàng nín jièshào wǒmen gōngsī de xīn chǎnpǐn. Zhè shì wǒmen de chǎnpǐn jièshào, qǐng nín kàn yi kàn. Wǒmen gōngsī de xīn chǎnpǐn zhìliàng hǎo, jiàgé piányi. Wǒ juéde nín yídìng huì xǐhuan zhèxiē xīn chǎnpǐn.
王先生，很高兴能向您介绍我们公司的新产品。这是我们的产品介绍，请您看一看。我们公司的新产品质量好，价格便宜。我觉得您一定会喜欢这些新产品。

Mr Wang, I am very happy to introduce our company's new products to you. Here is the brochure, and please take a look. Our products are superior in quality and moderate in price. I think you will definitely like these new products.

Words and phrases / 词语

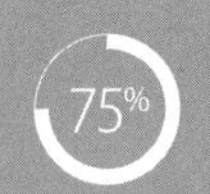

tèdiǎn
特点 / [n.] characteristic; distinguishing feature

zhìliàng
质量 / [n.] quality

jiàgé
价格 / [n.] price

tán
谈 / [v.] talk; speak; chat; discuss

jìnxíng
进行 / [v.] execute; carry out

ànzhào
按照 / [prep.] according to

wánchéng
完成 / [v.] accomplish; complete; finish; achieve; fulfill

tíqián
提前 / [v.] in advance; beforehand

lǜsè
绿色 / [adj.] green

huángsè
黄色 / [adj.] yellow

yánsè
颜色 / [n.] color

lánsè
蓝色 / [adj.] blue

Exercises / 练习 100%

1/ Substitution drills.

Wǒmen zhèngzài ànzhào jìhuà jìnxíng.

a / 我们 正在 按照 计划 进行。

我们	计划	进行
gōngsī 公司	tōngzhī 通知	fàngjià 放假
Lǐ mìshū 李 秘书	Wáng xiānsheng de rìchéng 王 先生 的 日程	dìngle fángjiān 订了 房间
Zhāng xiānsheng 张 先生	liúyán 留言	huíle diànhuà 回了 电话

2/ Complete the following dialogues using the words and sentence patterns you have learned.

a / Mr Zhang calls Mr Wang to introduce the new products to him.

Wáng xiānsheng,
王 先生 ，… 。

Nín yǒu chǎnpǐn jièshào ma?
您 有 产品 介绍 吗？

… 。

Nǐmen de chǎnpǐn yǒu shénme tèdiǎn?
你们 的 产品 有 什么 特点？

… 。

Wǒ juéde nǐmen de chǎnpǐn tài guì.
我 觉得 你们 的 产品 太 贵。

… 。

b / The product Manager, Mr Li, is reporting the product' s progress to Mrs Zhou.

Zhōu jīnglǐ, wǒmen zhèngzài ànzhào jìhuà jìnxíng.
周 经理， 我们 正在 按照 计划 进行 。

… ？

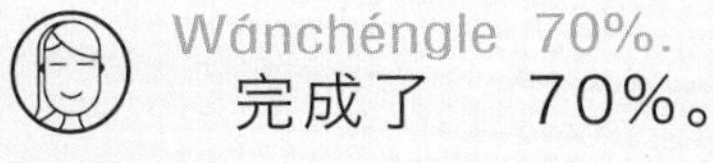
Wánchéngle 70%.
完成了 70%。

… ？

… 。

Bù xíng, dì 15 zhōu yídìng yào wánchéng.
不行，第 15 周一定要完成。

3/ Introduce these new products using the words and sentence patterns you have learned.

…

…

…

4/ Please investigate what products your colleagues manufacture. Choose the most interesting one in your opinion and talk it using the words and sentence patterns you have learned.

...

5/ Introduce one of your company's new products and try to use the words and sentence patterns you have learned.

...

6/ When you buy something, do you prefer high quality or low price? Talk about your preference using the words and sentence patterns you have learned.

...

19

néng bāng wǒ yíxià ma

能帮我一下吗

[Could you do me a favor?]

Dialogues / 对话

1

Xiǎo Lǐ, néng bāng wǒmen zhào zhāng xiàng ma?
小李，能帮我们照张相吗？
[Xiao Li, could you take a picture for us?]

Xíng, gěi wǒ zhàoxiàngjī.
行，给我照相机。
[Sure, give me your camera.]

Xièxie.
谢谢。
[Thank you.]

Bié kèqi.
别客气。
[No problem.]

2

Bāng gè máng, hǎo ma?
帮个忙，好吗？
[Could you do me a favor?]

Xíng, wǒ néng bāng nǐ zuò shénme?
行，我能帮你做什么？
[Sure, what can I do for you?]

Wǒ yào qù yóujú, dànshì dōngxi hěn duō,
我要去邮局，但是东西很多，
[I need to go to the post office but there are quite a few things to post.

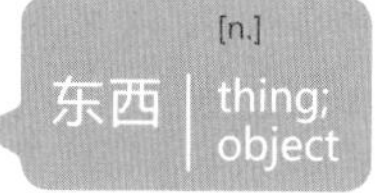

nǐ néng hé wǒ yìqǐ qù ma?
你能和我一起去吗？
Could you go with me ?]

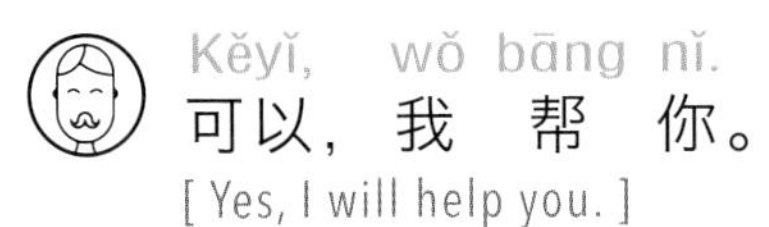

Kěyǐ, wǒ bāng nǐ.
可以，我帮你。
[Yes, I will help you.]

Xièxie.
谢谢。
[Thanks.]

3

Wáng Huān, néng bāng wǒ yíxià ma?
王欢，能帮我一下吗？
[Wang Huan, could you help me ?]

Wǒ jiāole gè Zhōngguó péngyou, tā qǐng wǒ qù tā jiā,
我交了个中国朋友，他请我去他家，
[I have a Chinese friend and he has invited me to his house.

nǐ juéde wǒ dài shénme lǐwù héshì?
你觉得我带什么礼物合适？
What present would be appropriate?]

> 交 [v.] | make (friends)

> 礼物 [n.] | present; gift

Zhōngguórén xǐhuan dài diǎnr chá、shuǐguǒ shénme de.
中国人喜欢带点儿茶、水果什么的。
[Chinese people like to bring tea or fruits and so on.]

Píjiǔ xíng ma?
啤酒行吗？
[Would beer be OK?]

Wǒ juéde yě kěyǐ.
我觉得也可以。
[I think that would be fine.]

4

Gāo xiānsheng, néng bāng wǒ yíxià ma?
高先生，能帮我一下吗？
[Mr Gao, could you help me?

Zhège biǎogé zěnme tián?
这个表格怎么填？
How do I fill out this form?]

> 表格 [n.] | form; table; list　　填 [v.] | fill in the blanks

Wǒ lái kàn yíxià, nǐ zài zhèlǐ xiě yào mǎi de dōngxi,
我来看一下，你在这里写要买的东西，

zhèlǐ xiě mǎi duōshao, zhèlǐ qiān shang míngzi jiù kěyǐ le.
这里写买多少，这里签上名字就可以了。
[Let me see, just write the items you want to buy over here.
Write how many you want to buy over here and then sign your name here.]

Xièxie, zhège biǎogé yīnggāi jiāo gěi shéi?
谢谢，这个表格应该交给谁？
[Thank you. To whom should I give this form?]

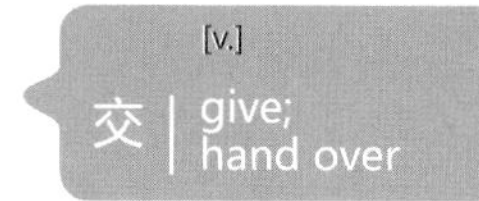

Jiāo gěi Zhāng mìshū jiù kěyǐ le.
交给张秘书就可以了。
[Give this form to Secretary Zhang.]

5

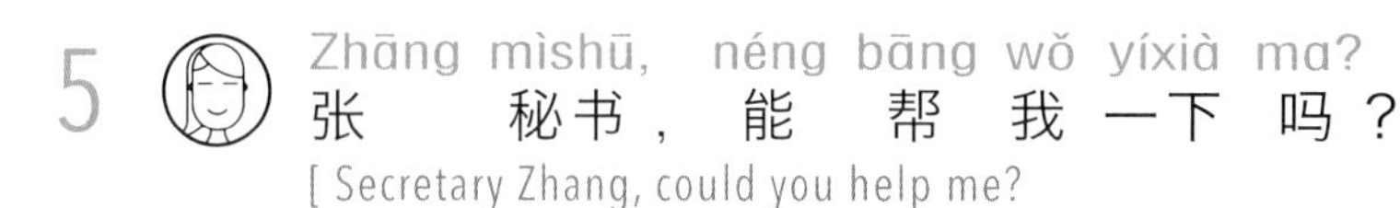
Zhāng mìshū, néng bāng wǒ yíxià ma?
张秘书，能帮我一下吗？
[Secretary Zhang, could you help me?
Lǐ jīnglǐ ràng wǒ ānpái yí gè huìyì, wǒ yào zěnme zuò?
李经理让我安排一个会议，我要怎么做？
Manager Li wants me to arrange a meeting, and what should I do?]

Nǐ yào zuò hǎo huìyì rìchéng, tōngzhī yào cānjiā de rén.
你要做好会议日程，通知要参加的人。
[The agenda should be prepared before the meeting, and notify those
who will be attending.
Zài kāihuì qián, xūyào de wénjiàn dōu yào dǎyìn hé fùyìn hǎo.
在开会前，需要的文件都要打印和复印好。
Before the meeting the relevant documents should be printed and copied.
Zài kāihuì de shíhou nǐ yào zuò huìyì jìlù.
在开会的时候你要做会议记录。
You should take the minutes during the meeting.]

Dànshì wǒ méi xiěguo huìyì jìlù.
但是我没写过会议记录。
[But I haven't taken minutes before.]

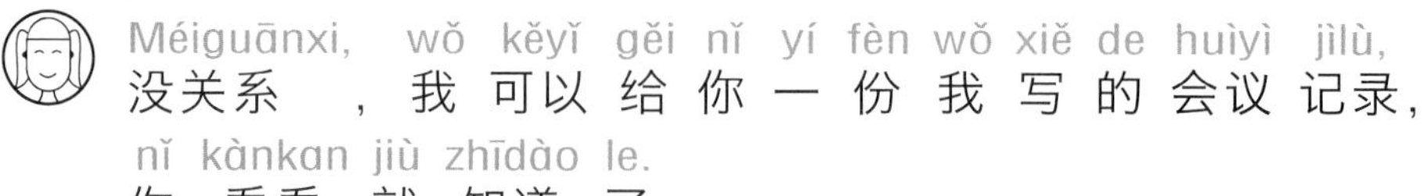
Méiguānxi, wǒ kěyǐ gěi nǐ yí fèn wǒ xiě de huìyì jìlù,
没关系，我可以给你一份我写的会议记录，
nǐ kànkan jiù zhīdào le.
你看看就知道了。
[That's fine. I can give you some minutes I wrote before.
You will understand when you see it.]

Passage / 短文

50%

Nín hǎo, shì Kuàichē Chūzūchē Gōngsī ma? Wǒ zǎoshang
您 好，是 快车 出租车 公司 吗？我 早上
jiàole yí liàng nǐmen gōngsī de chūzūchē qù jīchǎng jiē wǒ. Wǒ de
叫了 一 辆 你们 公司 的 出租车 去 机场 接 我。我 的
xínglixiāng wàng zài chūzūchē shang le, lǐmiàn yǒu hěn zhòngyào
行李箱 忘 在 出租车 上 了，里面 有 很 重要
de dōngxi. Néng qǐng nǐmen gěi wǒ sòngdào bīnguǎn ma? Wǒ
的 东西。能 请 你们 给 我 送到 宾馆 吗？我
jiào Zhōu Jīng, zhù zài Chūntiān Bīnguǎn 1218 fángjiān, wǒ de
叫 周 京，住 在 春天 宾馆 1218 房间，我 的
shǒujī shì 18515055950.
手机 是 18515055950。

Hello, is this Kuaiche Taxi company? I called for a taxi from your company to pick me up at the airport. I forgot my suitcase in the taxi and there are some important things in it. Could I please ask that you send my suitcase to my hotel? My name is Zhou Jing, and I am staying in Room 1218 at the Chuntian Hotel. My phone number is 18515055950.

Words and phrases / 词语

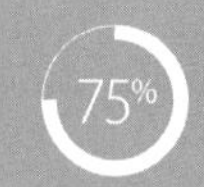

dōngxi
东西 / [n.] thing; object

jiāo
交 / [v.] make (friends)
[v.] give; hand over

lǐwù
礼物 / [n.] present; gift

biǎogé
表格 / [n.] form; table; list

tián
填 / [v.] fill in the blanks

Exercises / 练习

1/ Substitution drills.

Wǒ bāng nǐ qǔ xínglixiāng.
a / 我 帮 你 取 行李箱 。

tā 他	nǚ péngyou 女 朋友	mǎi dōngxi 买 东西
Xiǎo Zhāng 小 张	wǒ 我	jiào chūzūchē 叫 出租车
Zhōu mìshū 周 秘书	Lǐ jīnglǐ 李 经理	dǎyìn wénjiàn 打印 文件

2/ Complete the following dialogues using the words and sentence patterns you have learned.

a / Mr Li's computer is broken so he asks Miss Zhou if he can use her computer to print an important file.

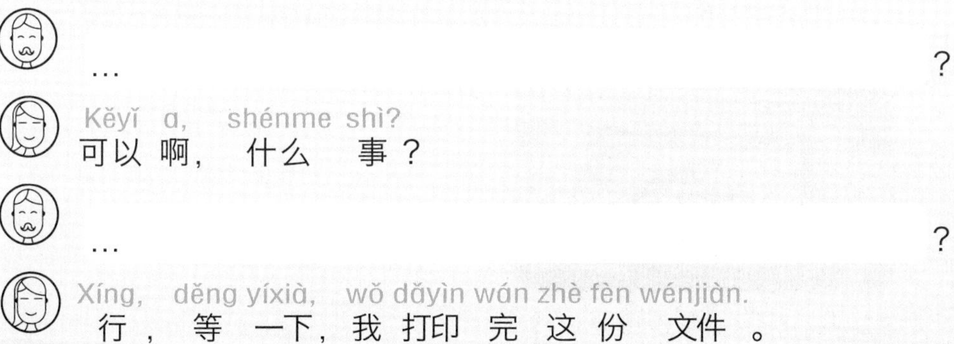

b / Secretary Li does not know how to write a notice, so she asks Secretary Zhang for help.

Zhāng mìshū,
张 秘书，… 

Kěyǐ, shénme shì?
可以，什么 事？

… 

… 

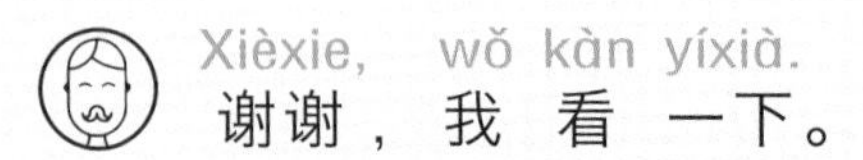
Xièxie, wǒ kàn yíxià.
谢谢，我 看 一下。

3/ If you were in the situations below, how would you ask for help? Talk about it using the words and sentence patterns you have learned.

…

4/ Find out what kinds of gifts your colleagues take with them when they visit friends, and choose the best one. Talk about it using the words and sentence patterns you have learned.

...

5/ What presents would you like to take with when you visit friends? Talk and try to use the words and sentence patterns you have learned.

...

zài Zhōngguó chūchāi

在 中国 出差

[Go to China on business]

Dialogues / 对话

1

Xiānsheng, zhè shì nín de xínglixiāng ma?

先生，这是您的行李箱吗？

[Sir, is this your suitcase?]

Shì de.

是的。

[Yes.]

Qǐng gěi wǒ kàn yíxià nín de dēngjīpái.

请给我看一下您的登机牌。

[Would you please show me your boarding pass?]

[n.] 登机牌 | boarding pass

Hǎo de, gěi nín.

好的，给您。

[Sure, here you are.]

Xièxie, méi wèntí le, zàijiàn.

谢谢，没问题了，再见。

[Thank you. That is fine. Goodbye.]

2

Nín hǎo, qǐngwèn shénme shíhou kāishǐ dēngjī?

您好，请问什么时候开始登机？

[Hello, may I ask when the flight will begin boarding?]

Hěn bàoqiàn, hángbān wǎndiǎn le.

很抱歉，航班晚点了。

[I am sorry that the plane is late.]

[n.] 航班 | flight; scheduled flight

Huì wǎn duō jiǔ?

会晚多久？

[How late will it be?]

Yí gè xiǎoshí.

一个小时。

[One hour.]

3

Xiānsheng, néng qǐng nín bāng gè máng ma?
先生，能 请 您 帮 个 忙 吗？
[Sir, could you do me a favor?
Wǒ de nán péngyou zuò zài 33A,
我 的 男 朋友 坐 在 33A，
kěyǐ hé nín huàn yíxià ma?
可以 和 您 换 一下 吗？
My boyfriend's seat is 33A, can I switch my seat with you?]

[v.] 换 | change

Kěyǐ, méi wèntí.
可以，没 问题。
[Sure, no problem.]

Xièxie nín.
谢谢 您。
[Thank you.]

Bié kèqi.
别 客气。
[Don't mention it.]

4

[v.] 起飞 | take off; lift off; launch

Xiānsheng, wǒmen de fēijī jiù yào qǐfēi le,
先生，我们 的 飞机 就 要 起飞 了，
[Sir, our plane is about to take off.
qǐng nín zuò hǎo.
请 您 坐 好。
Please be seated.]

Hěn bàoqiàn, qǐngwèn shénme shíhou dào Běijīng?
很 抱歉，请问 什么 时候 到 北京？
[Excuse me, when do we arrive in Beijing?]

Xiàwǔ sān diǎn dàodá Běijīng.
下午 三 点 到达 北京。
[We will arrive in Beijing at three o'clock in the afternoon.]

[v.] 到达 | arrive; get to; reach

Xièxie, qǐngwèn jīchǎng li kěyǐ huàn rénmínbì ma?
谢谢，请问 机场 里 可以 换 人民币 吗？
[Thanks. Could I exchange money at the airport?]

Kěyǐ.
可以。
[Yes.]

5

Duìbuqǐ, qǐngwèn qù Běijīng de huǒchē shénme shíhou kāi?
对不起，请问去北京的火车什么时候开？
[Excuse me. May I ask you when the train leaves for Beijing?]

Jiǔ diǎn líng wǔ fēn.
九点零五分。
[Five minutes past nine.]

Jǐ diǎn dào?
几点到？
[When does it get there?]

Xiàwǔ liǎng diǎn.
下午两点。
[Two o'clock in the afternoon.]

Xièxie!
谢谢！
[Thanks!]

Passage / 短文

50%

Qián mìshū, wǒ shì Lǐ Dōng. Yīnwèi wǒ zuò de hángbān wǎndiǎn, bù zhīdào shénme shíhou qǐfēi, suǒyǐ wǒ huànle yí gè hángbān, Xiān zuò fēijī, ránhòu huàn huǒchē. Wǒ huì zài yī yuè shí'èr hào wǎnshang jiǔ diǎn dàodá Běijīng. Qǐng nín dào Běijīng Huǒchēzhàn lái jiē wǒ, xièxie.

钱秘书，我是李冬。因为我坐的航班晚点，不知道什么时候起飞，所以我换了一个航班，先坐飞机，然后换火车。我会在一月十二号晚上九点到达北京。请您到北京火车站来接我，谢谢。

Mr Qian, I am Li Dong. Because my flight is late, I do not know when it will depart. I have changed it. I will first take a plane then a train, and arrive in Beijing on January 12th, please pick me up at the Beijing Railway Station. Thank you.

Words and phrases / 词语 

dēngjīpái
登机牌 / [n.] boarding pass

hángbān
航班 / [n.] flight; scheduled flight

huàn
换 / [v.] change
[v.] exchange money

qǐfēi
起飞 / [v.] take off; lift off; launch

dàodá
到达 / [v.] arrive; get to; reach

rénmínbì
人民币 / [n.] RMB

Exercises / 练习 

1/ Substitution drills.

Huànle yí gè hángbān.
a / 换了 一个 航班 。

xiē 些	jiàn 件	fèn 份
rénmínbì 人民币	chènshān 衬衫	lǐwù 礼物

Fēijī jiù yào qǐfēi le.
b / 飞机 就 要 起飞 了。

chūntiān 春天	huǒchē 火车	wǒmen gōngsī 我们 公司
lái 来	kāi 开	fàngjià 放假

2/ Complete the following dialogues using the words and sentence patterns you have learned.

a / A girl sits in Mr Gao's seat.

Bù hǎoyìsi,
不好意思，… ?

… 。

Duì, nín kàn,
对，您看，… 。

bù hǎoyìsi, kěyǐ qǐng nín bāng gè máng ma?
不好意思，可以请您帮个忙吗？

… 。

méi wèntí, wǒ bāng nín.
没问题，我帮您。

b / Mr Gao exchanges money at the airport.

Nín hǎo,
您好，… ?

Kěyǐ de,
可以的，… ?

Yìqiān měiyuán.
一千美元。

… 。

Xíng, gěi nín qián.
行，给您钱。

… 。

Xièxie, zàijiàn.
谢谢， 再见 。

3/ According to the information below, complete the "Announcement at the Airport Board" . Try to use the words and sentence patterns you have learned.

计划离港	航班号	航空公司	候机楼	目的地	值机柜台	登机口	状态
12：00	JL5674	日本航空公司	T2	北京	J25-J35	11	

Qiánwǎng de lǚkè qǐng zhùyì:
前往 ________ 的 旅客 请 注意：

nín chéngzuò de cì xiànzài bànlǐ
您 乘坐 的______ 次______ 现在 ______ 办理

chéngjī qǐng nín dào hào guìtái bànlǐ.
乘机 ______， 请 您 到 ______ 号 柜台 办理。______！

Ladies and gentlemen, may I have your attention please:

We are now ready for check in for flight ______
to ______ at counter No. ______ .

Thank you.

计划离港	航班号	航空公司	候机楼	目的地	值机柜台	登机口	状态
09：15	CA9251	中国国际航空公司	T3	北京	F01-06	C58	立即登机

YóuShànghǎi qiánwǎng de lǚkè qǐng zhùyì:
由 上 海 前 往 ______ 的 旅客 请 注意：

nín chéngzuò de cì xiànzài kāishǐ . qǐng
您 乘坐 的______ 次______ 现在 开始______ 。请

dàihǎo nín de suíshēn wùpǐn, chūshì , yóu hào
带好 您 的 随身 物品， 出示______ ，由______ 号

dēng jī kǒushàng . zhùnín lǚtú yúkuài. !
登 机口 上 ______。祝 您 旅途 愉 快 。______！

Ladies and gentlemen, may I have your attention please:

Flight ______ is now boarding. Would you please have your belongings and boarding passes ready and board the aircraft through gate No. ______ . We wish you a pleasant journey.

Thank you.

计划离港	航班号	航空公司	候机楼	出发地	到达出口	行李口	状态
09：15	AC9387	美国航空公司	T3	北京	国内	46	已于 08：57

Yíngjiē lǚkè de gèwèi qǐng zhùyì:
迎接 旅客 的 各位 请 注意：

yóu fēi lái běn zhàn de cì
由 ____________ 飞 来 本 站 的 ______________ 次

hángbān jiāng yú diǎn fēn
航班 将 于 ________ 点 ________ 分 ________。

________ ！

Ladies and gentlemen, may I have your attention please:

Flight ______ from ______ will arrive here at ______ : ______ .

Thank you.

____________ :

běn jià yùdìng zài hòu
本 架 ________ 预 定 在 ________ 后 ________。

dì miàn shì
地 面 ________ 是 ________，________ ！

Ladies and gentlemen,

We will be landing at ______ airport in about ______ minutes.

The ground temperature is ______ degrees Celsius.

Thank you.

4/ Which flight is the cheapest to Beijing? Discuss your answer using the words and sentence patterns you have learned.

...

5/ Introduce a business trip using the words and sentence patterns you have learned.

...

附录
Appendices

《BCT标准教程》

测 试

（二级）

注意 /

一 / 《BCT标准教程》测试（二级）分两部分：

1. 听力（25题，约25分钟）
2. 阅读（25题，30分钟）

二 / 全部考试约55分钟。

孔子学院总部/国家汉办
Confucius Institute Headquarters (Hanban

中国 北京 | 孔子学院总部/国家汉办 编制

听 力

第一部分（第1-5题）

例如： ✓

×

1/

2/

3/

4/

5/

 第二部分（第6-10题）

例如：	A ✓	B	C
6/	A	B	C
7/	A	B	C
8/	A	B	C
9/	A	B	C
10/	A	B	C

第三部分（第11-15题）

A /

B /

C /

D /

E /

F /

例如 / 女：Nínhǎo, qǐngwèn shì CTI gōngsī ma?
您好，请问是 CTI 公司吗？

男：Bù hǎoyìsi, nín dǎ cuò le.
不好意思，您打错了。　D

11/

12/

13/

14/

15/

第四部分（第16-25题）

例如／女：Míngtiān xiàwǔ wǒmen yìqǐ zuò dìtiě qù jīchǎng, hǎoma?
明天下午我们一起坐地铁去机场，好吗？

男：Hǎo de, liǎng diǎn zài gōngsī lóuxià de dìtiězhàn jiànmiàn.
好的，两点在公司楼下的地铁站见面。

问／Tāmen zài nǎr jiànmiàn?
他们在哪儿见面？

A jīchǎng 机场	B gōngsī 公司	C dìtiězhàn 地铁站 ✓

	A	B	C
16/	dōng 东	nán 南	xī 西
17/	yǒu shíjiān 有时间	wánchéng le 完成了	kāishǐ le 开始了
18/	àihào 爱好	lǚyóu 旅游	tiānqì 天气
19/	shēngbìng le 生病了	chūchāi le 出差了	qù yīyuàn le 去医院了
20/	jiàgé 价格	zhìliàng 质量	yánsè 颜色

21/

A	B	C
fù qián 付 钱	tián biǎo 填 表	shuā xìnyòngkǎ 刷 信用卡

22/

A	B	C
tán yìjiàn 谈 意见	kàn bàozhǐ 看 报纸	qiān míngzi 签 名字

23/

A	B	C
kāihuì 开会	liúyán 留言	dǎ diànhuà 打 电话

24/

A	B	C
sān zhé 三 折	sì zhé 四 折	wǔ zhé 五 折

25/

A	B	C
diànnǎo 电脑	kōngtiáo 空调	diànshì 电视

42-44/

	天气	气温
3号	大雨	5℃/10℃
4号	阴转小雨	6℃/10℃
5号	阴转晴	8℃/12℃
6号	大风	7℃/10℃

Nǎ tiān xūyào dài sǎn?
★ 42 哪天 需要 带伞 ？

4hào 5hào 6hào
A 4号 B 5号 C 6号

Nǎ tiān de qìwēn zuì gāo?
★ 43 哪天 的 气温 最 高 ？

3hào 4hào 5hào
A 3号 B 4号 C 5号

Zài Běijīng zuì kěnéng shì:
★ 44 在 北京 最 可能 是：

xiàtiān qiūtiān dōngtiān
A 夏天 B 秋天 C 冬天

45-47/

周明
2015-2-15 8：00

李欢，你发烧了，下午去医院看医生吧，我和王迎去参加三点的会议，你多休息。

谢谢您，周经理，我下午去医院。

★45 Shéi yào qù yīyuàn?
谁 要 去 医院？

A 李欢 Lǐ Huān　B 王迎 Wáng Yíng　C 周经理 Zhōu jīnglǐ

★46 Huìyì shénme shíhou kāishǐ?
会议 什么 时候 开始？

A 早上8点 zǎoshang 8diǎn　B 上午9点 shàngwǔ 9diǎn　C 下午3点 xiàwǔ 3diǎn

★47 Lǐ Huān de yìsi shì:
李欢 的 意思 是：

A 挺累的 tǐng lèi de　B 很麻烦 hěn máfan　C 非常感谢 fēicháng gǎnxiè

48-50/

G201	始 北京南	17:55	04:25
	终 南京南	22:20	当日达到
G203	始 北京南	19:00	04:15
	终 南京南	23:15	当日达到
T109	始 北京	19:33	11:10
	过 南京	06:43	次日到达
G205	始 北京南	20:00	03:53
	终 南京南	23:53	当日达到
D321	始 北京南	21:23	09:10
	过 南京	06:33	次日到达
T65	始 北京	21:35	10:39
	终 南京	08:14	次日到达
K101	始 北京	23:20	14:27
	过 南京	13:47	次日到达

Dào Nánjīng yòng shí zuì duǎn de shì:
★48 到 南京 用 时 最 短 的 是：

A G201　B G203　C G205

Rúguǒ wǎnshang jiǔ diǎn néng dào Běijīngnánzhàn, zuìhǎo mǎi:
★49 如果 晚上 九 点 能 到 北京南站，最好 买：

A T65　B T109　C D321

Dàodá Nánjīngzhàn de huǒchē yǒu jǐ gè?
★50 到达 南京站 的 火车 有 几 个？

A 2　B 3　C 4

《BCT标准教程》测试（二级）

听力材料

（音乐，30 秒，渐弱）

大家好！欢迎参加《BCT 标准教程》测试（二级）。

大家好！欢迎参加《BCT 标准教程》测试（二级）。

大家好！欢迎参加《BCT 标准教程》测试（二级）。

《BCT 标准教程》测试（二级）听力考试分四部分，共 25 题。

请大家注意，
听力考试现在开始。

第一部分

[一共5个题，每题听两次。]

例如／ 领带

地铁

现在开始第1题／

1. 听
2. 晴
3. 公共汽车
4. 礼物
5. 唱歌

第二部分

[一共5个题，每题听两次。]

例如／ 这件衬衫太长了。

现在开始第6题／

6. 真冷呀，来杯热咖啡吧。
7. 你生病了，要好好休息。
8. 周小姐每天早上都去跑步。
9. 我马上上火车，明天见！
10. 你发烧了，这些药都要吃完。

第三部分

[一共5个题，每题听两次。]

例如／

男：您好，请问是CTI公司吗？

女：不好意思，您打错了。

现在开始第11题／

11. 男：您的车怎么了。
    女：不能开了，请帮我检查一下！
12. 男：那位长头发、戴眼镜的女士是谁？
    女：她姓王，是我的新同事。
13. 男：你哪儿不舒服？
    女：我头疼，这儿也不舒服。
14. 女：请问，附近有地铁站吗？
    男：有，您往东走三百米，然后往左转，就到了。
15. 女：哪件漂亮？
    男：你去试试吧。

第四部分

[一共10个题，每题听两次。]

例如 /

女：明天下午我们一起坐地铁去机场，好吗？

男：好的，两点在公司楼下的地铁站见面。

问：他们在哪儿见面？

现在开始第16题 /

16．男：请问，附近有邮局吗？
　　女：有，您往东走，走五分钟就到了。
　　问：男的要往哪边走？

17．女：什么时候开始登机？我想去洗手间。
　　男：现在八点半，还有半个小时。
　　问：男的是什么意思？

18．男：十一我们去南京玩儿怎么样？不冷不热。
　　女：我去过了，这次我想走远一点儿，去日本东京吧。
　　问：他们在谈什么？

19．女：上个星期没看见你，出差了？
　　男：不是，我感冒了，不太舒服，在家休息了两天。
　　问：男的上周为什么没来上班？

20．男：这件衣服的质量挺不错的，买吗？
　　女：不好看，我想要红色的。
　　问：女的对什么不满意？

21．女：我想办一张你们银行的信用卡。
　　男：您需要填张表，请跟我来。
　　问：女的需要做什么？

22．男：今天的报纸好看吗？
　　女：我刚开始看，你看吗？
　　问：女的在做什么？

23．女：我开会的时候，有没有人找我？
　　男：有一位姓张的客户打过电话，请您给他回个电话。
　　问：女的最可能要做什么？

24．男：您好，今天有什么优惠吗？
　　女：先生您好，我们今天的优惠是咖啡半价。
　　问：今天咖啡打几折？

25．女：您好，我们是CTI公司，办公室的空调坏了，请派人来修理一下。
　　男：好的，我们下午派人过去。
　　问：什么坏了？

听力考试现在结束。

《BCT 标准教程》测 试（二级）

参考答案

一 / 听力

第一部分

1. ✓	2. ×	3. ×	4. ✓	5. ✓

第二部分

6. A	7. C	8. B	9. C	10. A

第三部分

11. F	12. C	13. B	14. A	15. E

第四部分

16. A	17. A	18. B	19. A	20. C
21. B	22. B	23. C	24. C	25. B

二 / 阅读

第一部分

26. B	27. C	28. F	29. A	30. E
31. F	32. C	33. A	34. D	35. E

第二部分

36. C	37. B	38. A	39. A	40. B
41. B	42. A	43. C	44. B	45. A
46. C	47. C	48. C	49. C	50. C

词语表 / Vocabulary

词	拼音	词性	英文	课数
爱好	àihào	n.	hobby; an interest	3
		v.	be fond of or keen on; have a taste for	
安排	ānpái	v.	plan in detail; arrange	12
		n.	plan to do sth	
按照	ànzhào	prep.	according to	18
白色	báisè	adj.	white	2
帮助	bāngzhù	v.	help; assist; aid; support	10
报纸	bàozhǐ	n.	newspaper	6
抱歉	bàoqiàn	v.	be sorry; feel apologetic; regret	9
北	běi	n.	north	5
本	běn	pron.	one's own; native; this	15
		pron.	present; current	
比	bǐ	prep.	*used to make comparison*	6
表格	biǎogé	n.	form; table; list	19
别	bié	adv.	don't	10
部门	bùmén	n.	department; branch; class; section	14

词	拼音	词性	英文	课数
参加	cānjiā	v.	join; take part in; attend	14
产品	chǎnpǐn	n.	product	13
长	cháng	adj.	long	2
唱歌	chànggē	v.	sing	3
衬衫	chènshān	n.	shirt	15
出租车	chūzūchē	n.	taxi	17
穿	chuān	v.	wear; put on	2
春天	chūntiān	n.	spring	12
错	cuò	adj.	wrong; incorrect	9
打算	dǎsuàn	v.	be going to do sth; plan to	12
		n.	plan	
打折	dǎzhé	v.	give a discount	15
大	dà	adj.	big; large; huge; great	15
带	dài	v.	carry; take; bring; bear	6
戴	dài	v.	wear; put on	2
到达	dàodá	v.	arrive; get to; reach	20

词	拼音	词性	英文	课数
得	de	part.	marker of complement	1
登机牌	dēngjīpái	n.	boarding pass	20
等	děng	v.	wait	9
低	dī	adj.	low; down	6
地铁	dìtiě	n.	subway	4
电视	diànshì	n.	TV	15
东	dōng	n.	east	5
东西	dōngxi	n.	thing; object	19
冬天	dōngtiān	n.	winter	13
都	dōu	adv.	all	3
度	dù	n.	degree	6
短	duǎn	adj.	short	2
多	duō	adj.	a lot of	4
		adv.	how	
		part.	more; over; odd	
多	duō	adv.	much more; far more	7

词	拼音	词性	英文	课数
发烧	fāshāo	v.	have a fever	7
放假	fàngjià	v.	have a holiday or vacation; have a day off	14
非常	fēicháng	adv.	very	9
分钟	fēnzhōng	n.	minute	4
份	fèn	mw.	a copy of; part; portion	15
付款	fùkuǎn	v.	pay	15
附近	fùjìn	n.	nearby; neighbor	10
复印	fùyìn	v.	copy; reproduce on a copying machine	15
感冒	gǎnmào	v.	have a cold	7
感谢	gǎnxiè	v.	thank; be grateful; appreciate	9
刚才	gāngcái	n.	a moment ago; just now	2
高	gāo	adj.	high; tall	6
告诉	gàosu	v.	tell	8
跟	gēn	prep.	with	12
跟	gēn	v.	follow	15
公共汽车	gōnggòng qìchē	n.	bus	4

词	拼音	词性	英文	课数
刮(风)	guā fēng	v.	blow (wind)	6
关于	guānyú	prep.	with regard to	14
光临	guānglín	v.	welcome	15
过	guò	part.	*used after a verb, referring to sth. that happened previously*	3
还是	háishi	adv.	or	2
还是	háishi	adv.	had better	12
航班	hángbān	n.	flight; scheduled flight	20
合适	héshì	adj.	fit; suitable; appropriate	15
黑色	hēisè	adj.	black; dark	2
红色	hóngsè	adj.	red	2
坏	huài	adj.	bad	16
换	huàn	v.	change	20
		v.	exchange money	
黄色	huángsè	adj.	yellow	18
会	huì	aux.	be sure to; be likely to	6
会	huì	v.	be good at; be skillful in	17

词	拼音	词性	英文	课数
		aux.	can; be capable of	
火车	huǒchē	n.	train	10
计划	jìhuà	n.	plan	13
		v.	plan to do sth.	
记录	jìlù	v.	write down; take notes; keep the minutes; record	17
家	jiā	mw.	*used for families, restaurants, hotels or companies*	1
家	jiā	n.	home; family; household	4
价格	jiàgé	n.	price	18
检查	jiǎnchá	v.	check; inspect; take a look	16
件	jiàn	mw.	*used for clothes and things*	15
建议	jiànyì	n.	suggestion; advice	17
		v.	suggest; advise	
交	jiāo	v.	make (*friends*)	19
		v.	give; hand over	
觉得	juéde	v.	feel; think	13
接	jiē	v.	meet; welcome; pick up	11

词	拼音	词性	英文	课数
进行	jìnxíng	v.	execute; carry out	18
近	jìn	adj.	close; near	4
就	jiù	adv.	immediately; right now; right away	10
开	kāi	v.	drive	4
开始	kāishǐ	v.	start; begin	17
		n.	begining	
可能	kěnéng	aux.	may; can	2
		adj.	possible; probable; likely	
客户	kèhù	n.	client	12
空调	kōngtiáo	n.	air-conditioner	16
裤子	kùzi	n.	trousers; pants	2
快	kuài	adj.	fast	4
		adv.	be going to; will; shall	7
蓝色	lánsè	adj.	blue	18
劳驾	láojià	v.	excuse me	9
累	lèi	adj.	tired; fatigued	1

词	拼音	词性	英文	课数
离	lí	v.	be away from	4
礼物	lǐwù	n.	present; gift	19
里	li	n.	interior; inside	10
领带	lǐngdài	n.	tie	2
留言	liúyán	n.	message	8
		v.	leave a message	
楼	lóu	n.	building	5
路	lù	n.	road	4
		mw.	*used to indicate a bus route*	
旅游	lǚyóu	v.	travel	3
绿色	lǜsè	adj.	green	18
麻烦	máfan	v.	bother	16
马上	mǎshàng	adv.	immediately; at once	16
满意	mǎnyì	v.	be satisfied	12
没有	méiyǒu	v.	can’t compare with others	6
每	měi	pron.	every; each	3

词	拼音	词性	英文	课数
米	mǐ	mw.	meter	10
名字	míngzi	n.	name; title	16
男	nán	n.	man; male	2
南	nán	n.	south	5
能	néng	aux.	can; may	8
女	nǚ	n.	woman; female	2
派	pài	v.	send	16
跑步	pǎobù	v.	run; jog	3
漂亮	piàoliang	adj.	good-looking; pretty; beautiful	11
起飞	qǐfēi	v.	take off; lift off; launch	20
千	qiān	num.	thousand	13
签	qiān	v.	sign (one's own name)	16
桥	qiáo	n.	bridge	5
晴	qíng	adj.	fine; clear	6
请	qǐng	v.	entertain; treat	11
秋天	qiūtiān	n.	autumn	13

词	拼音	词性	英文	课数
取	qǔ	v.	take; get	14
去年	qùnián	n.	last year	13
然后	ránhòu	conj.	then; after that; afterwards	7
让	ràng	v.	let; allow; make; ask	7
让	ràng	v.	give way; give ground; yield; give up	9
人民币	rénmínbì	n.	RMB	20
日程	rìchéng	n.	schedule	11
如果	rúguǒ	conj.	in case; in the event of; supposing that	11
伞	sǎn	n.	umbrella	6
商店	shāngdiàn	n.	shop; store	10
商务	shāngwù	n.	commercial affairs; business affairs	5
商业	shāngyè	n.	business; commerce	5
少	shǎo	adj.	not much; not many	13
身体	shēntǐ	n.	body	7
生病	shēngbìng	v.	fall sick; fall ill; get ill; be taken ill	7
时间	shíjiān	n.	time	4

词	拼音	词性	英文	课数
事情	shìqing	n.	matter; business	8
试	shì	v.	try	15
手续	shǒuxù	n.	procedures; formalities; routine; process	11
舒服	shūfu	adj.	pleased; comfortable	7
说	shuō	v.	speak; talk; say	6
司机	sījī	n.	driver	17
虽然……但是……	suīrán… dànshì…	conj.	although; but; however	1
谈	tán	v.	talk; speak; chat; discuss	18
特点	tèdiǎn	n.	characteristic; distinguishing feature	18
疼	téng	adj.	ache; hurt	7
提前	tíqián	v.	in advance; beforehand	18
填	tián	v.	fill in the blanks	19
听	tīng	v.	hear; listen	9
挺	tǐng	adv.	very; quite; pretty; rather	1
通知	tōngzhī	v.	inform; notify; give notice	14
		n.	notice; notification	

词	拼音	词性	英文	课数
同事	tóngshì	n.	colleague	2
头发	tóufa	n.	hair	2
外边	wàibian	n.	outer; outside	11
完成	wánchéng	v.	accomplish; complete; finish; achieve; fulfill	18
万	wàn	num.	ten thousand	13
忘记	wàngjì	v.	forget; go out of one's mind	14
为什么	wèi shénme		why	17
温度	wēndù	n.	temperature	6
西	xī	n.	west	5
西装	xīzhuāng	n.	suit	2
喜欢	xǐhuan	v.	like or be interested in (sb. or sth.)	1
下雨	xià yǔ		rain	6
夏天	xiàtiān	n.	summer	11
先	xiān	adv.	first	7
想	xiǎng	aux.	want to; be going to; would like to	7
想	xiǎng	v.	think; think about; think of; think over	13

词	拼音	词性	英文	课数
向	xiàng	prep.	to; towards	10
小	xiǎo	adj.	small; little	15
小时	xiǎoshí	n.	hour	4
些	xiē	mw.	some; a little bit	7
写	xiě	v.	write	9
新	xīn	adj.	new	1
行李箱	xínglixiāng	n,	trunk; baggage	14
修理	xiūlǐ	v.	fix; mend; repair	16
需要	xūyào	v.	need; claim; demand; want	10
学校	xuéxiào	n.	school	5
颜色	yánsè	n.	color	18
眼镜	yǎnjìng	n.	glasses; spectacles	2
邀请	yāoqǐng	v.	invite; call on; send an invitation	12
药	yào	n.	medicine	7
要	yào	v.	cost; take	4
		aux.	ought to; might; must; should	

词	拼音	词性	英文	课数
要	yào	aux.	hope; want; wish	8
		aux.	be going to; shall; will	
一定	yídìng	adv.	surely; certainly; necessarily	12
一会儿	yíhuìr	num.	a moment	6
一起	yìqǐ	adv.	together	2
一直	yìzhí	adj.	straight; straight forward	10
一直	yìzhí	adv.	always; continuously	17
医生	yīshēng	n.	doctor; surgeon	7
已经	yǐjīng	adv.	already; yet	2
意见	yìjiàn	n.	view; suggestion; opinion; idea	17
意思	yìsi	n.	meaning; content; indication; hint	9
因为……所以……	yīnwèi... suǒyǐ...	conj.	on account of; because of	17
阴	yīn	adj.	cloudy; overcast	6
用	yòng	v.	need	11
		v.	use	
		v.	eat; drink	

词	拼音	词性	英文	课数
优惠	yōuhuì	adj.	preferential; favorable	15
邮局	yóujú	n.	post office	10
员工	yuángōng	n.	staff; personnel	14
远	yuǎn	adj.	far; distant	4
愿意	yuànyì	aux.	be willing; wish; like; want	12
在	zài	adv.	in the process of doing sth	8
怎么	zěnme	pron.	inquiring for property, condition, way, and cause, etc.	1
站	zhàn	v.	stand	2
站	zhàn	mw.	distance between two bus stops	4
照片	zhàopiàn	n.	photo	15
照相机	zhàoxiàngjī	n.	camera	15
着	zhe	part.	*used after a verb, indicating that the action starts and continues*	2
正在	zhèngzài	adv.	in the process of	8
只	zhǐ	adv.	only; merely; just	13
直接	zhíjiē	adj.	direct; immediate	15
质量	zhìliàng	n.	quality	18

词	拼音	词性	英文	课数
中心	zhōngxīn	n.	centre	5
重要	zhòngyào	adj.	important	12
主要	zhǔyào	adj.	major; main	17
转	zhuǎn	v.	turn	10
最	zuì	adv.	the most	6
昨天	zuótiān	n.	yesterday	6
做	zuò	v.	do	3
做	zuò	v.	be; become; to do	17